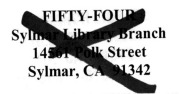

P9-DEM-024

EDUCAR EN VALORES

Guía para padres y maestros

Carlos Díaz

EDITORIAL TRILLAS

México, Argentina, España,
Colombia, Puerto Rico, Venezuela

Catalogación en la fuente

Díaz Hernández, Carlos
    Educar en valores : guía para padres y maestros. --
México : Trillas, 2000 (reimp. 2001).
    166 p. : il. ; 23 cm.
    ISBN 968-24-6237-1

    1. Valores (Filosofía). 2. Cognición. 3. Intelecto.
I. t.

D- 372.8'D378e   LC- LB1523'D5.4   3435

Derechos reservados
© 2000, Editorial Trillas, S. A. de C. V.,
División Administrativa, Av. Río Churubusco 385,
Col. Pedro María Anaya, C. P. 03340, México, D. F.
Tel. 56884233, FAX 56041364

División Comercial, Calz. de la Viga 1132, C. P. 09439
México, D. F. Tel. 56330995, FAX 56330870

Miembro de la Cámara Nacional de la
Industria Editorial. Reg. núm. 158

Primera edición, 2000 (ISBN 968-24-6237-1)

Primera reimpresión, agosto 2001

Impreso en México
Printed in Mexico

Reconocimiento

A la Fundación Emmanuel Mounier, pionera mundial en el desarrollo y en la puesta en práctica de los valores del personalismo comunitario, en cuya institución, fundada por nosotros, dirigimos algunas de sus publicaciones axiológicas.

A la Universidad Nacional de Educación a Distancia (España), por confiarnos la responsabilidad general de la Psicología Evolutiva, luego explicada también en la Universidad Simón Bolívar (Caracas).

Al Instituto de Enseñanza Secundaria «Calderón de la Barca» (Madrid), en donde tuvimos ocasión de evaluar y aplicar experimentalmente los valores adolescentes durante más de una década.

A la Facultad de Filosofía de la madrileña Universidad Complutense, y en especial a nuestros doctorandos actuales más cercanos.

A nuestros fieles lectores, algunos de los cuales han tenido la bondad de formularnos valiosísimas observaciones a lo largo de tres décadas traducidas en el centenar de libros publicados por nosotros.

A todos los padres y los maestros españoles, que acogen una y otra vez nuestros cursos, clases, conferencias y un sinfín de actividades prácticas.

De todo corazón, a los miles de padres y maestros mexicanos que durante años en multitudinarios congresos internacionales organizados por diferentes estados de la República, en cursos y seminarios muy numerosos en distintas universidades, y en encuentros axiológicos de toda naturaleza, me han regalado infinitamente más de lo que yo nunca podría darles.

En último lugar, pero en primer término, quiero agradecer el decisivo aliento y la incondicionalidad paciente que en la realización de este proyecto ha supuesto para mí el ingeniero Sergio Casas, mucho más que mi representante en México, un verdadero hermano.

A todos, muchas gracias.

DR. CARLOS DÍAZ

Carta prólogo

Muy estimados padres y maestros:

Tienen ustedes a su cargo el presente y el futuro: los niños. Este libro es su particular caja de herramientas para mejorar en sus relaciones personales, familiares y didácticas. Es para ayudar a que aprendan sus alumnos y alumnas, sus hijos e hijas. Contiene indicaciones concretas: cómo enseñar a comer con educación, a mantenerse aseados, a jugar correctamente, a leer y a escribir, a cuidar de ellos mismos, de sus amigos, de su familia, de su comunidad, de México, del mundo.

Convivencia, diálogo, familia y escuela forman una unidad: no podemos dejar de aprender aunque queramos, como tampoco de enseñar por mucho que lo deseemos. Nadie sabe cómo nos hubiésemos comportado de haber nacido en otro planeta, pero en éste aprendemos por imitación e intercambio, y esto se agudiza todavía más en el niño, cuya porosidad es prácticamente total, ilimitada.

El niño hace lo que ve hacer; imita a los adultos, pero también a sus iguales. Si uno sube a una silla, sube el otro; si uno golpea la mesa con los cubiertos, al momento toda la clase martillea con su cuchara y su tenedor. Un adulto deposita los residuos en la papelera, y el niño lo imita. Es imposible que el niño no haga lo que ve a diario.

A veces decimos: «no hagas eso, que está el niño». «Pero si a esta edad no se entera de nada. Por él no te preocupes.» ¿No te preocupes? Desde su más tierna infancia, los niños aprenden lo que perciben, pues son enormes observadores-imitadores: lo que ven, lo hacen o lo quieren; lo que oyen, lo repiten. Gestos, movimientos de las manos, expresión facial, todo lo que proviene del modelo adulto es celosamente copiado por el infante.

Sólo los buenos comportamientos sirven de guía mental y vital. Los niños que ven a sus mayores sostener la puerta abierta para que otros entren, dejan pasar primero a los demás, ofrecen ayuda a los necesitados; los niños que ven cómo los mayores hacen eso con una sonrisa, están aprendiendo sin palabras.

Si un niño vive criticado, aprenderá a condenar(se)

«¡Qué malo eres, Juanito!» «Siempre te portas mal.» Y Juanito se siente malo. En lugar de evitar su maldad, la hemos potenciado.

¿Por qué no probar con otras frases? «Esta mañana no estás siendo bueno.» «Ahora te estás portando mal.»

Si un niño vive avergonzado, aprenderá a culpar(se)

A exigencias excesivas, reproche permanente y conflicto seguro. Y el sentimiento de culpa hará estragos más adelante sobre las cabezas de los demás.

Muchos adultos caminan deprisa llevando de la mano a los pequeños, a los que culpabilizan por su lentitud. ¿No se puede adecuar el paso adulto al infantil? Desde luego, el paso infantil no puede igualar al de un adulto.

Si un niño vive chantajeado, aprenderá a chantajear(se)

Para enfurecer al niño, o para divertirse con sus reacciones, jugamos al «ahora no te quiero, ahora sí te quiero». A veces llegamos a la crueldad de llevar las palabras a la práctica con acciones y gestos.

El niño pequeño no está capacitado para captar esa ficción, y la toma literalmente; además, no posee los mecanismos adultos para superar el desafecto. Es un juego atroz para el pequeño.

Si un niño vive engañado, aprenderá a engañar(se)

Si le digo al niño «no te preocupes, te compro uno mañana», o «no llores, mañana te llevo a tal sitio», sabiendo que no lo voy a hacer, simplemente por salir del paso, estoy defraudándolo, e irá perdiendo confianza en los mayores en quienes confiaba a ciegas, hasta el punto de no aceptar las promesas siguientes, aunque se hagan con sinceridad y se piensen cumplir: pueden sonarle a viejas mentiras y, por tanto, no las tomará en serio.

No debemos prometer cosas a la ligera, ni dar a un niño una orden o exigencia que no estemos dispuestos a cumplir.

Si un niño ve la mentira, aprenderá a mentir(se)

La mamá toma un taxi con su hijo de seis años. El taxista, un varón, lleva un pendiente en su oreja. Al verlo, el niño le pregunta: «¿tú eres marica?» El taxista se ríe y le dice: «no, ¿por qué?» «¡Porque llevas un pendiente!» La madre interviene: «el niño repite lo que oye a su abuelo». «Pues papá también dice que los hombres con pendientes son maricas.»

«Dile que no estoy», ruega el adulto al niño cuando recibe una llamada de teléfono inoportuna, mientras el pequeño se da cuenta que ese adulto falta a la verdad. «No vi el semáforo», asegura el conductor al agente de tráfico ante el niño que advierte la mentira. Entonces, ya está aprendiendo a mentir.

Si un niño vive amenazado, aprenderá a amenazar(se)

Si le digo a un niño: «como no te portes bien, le daré el balón a tu hermano», terminaré haciendo de mis relaciones un peligroso juego de tensiones y chantajes, destruyendo la necesaria confianza e incondicionalidad.

Las amenazas generan en los niños inseguridad, desconfianza, desmotivación, desilusión. ¿Imaginan ustedes el desconcierto de un niño cuando entre amenazas le decimos con voz estentórea: «¡No hay que decir las cosas gritando!»?

Si un niño crece abandonado, aprenderá a abandonar(se)

Se abandona tanto más a un niño cuanto menos tiempo se está con él. ¡Cuántos hijos para tan sólo algunos ratos! ¡Cuántos padres de foto! ¡Cuántos padres que ven a sus hijos sólo los fines de semana, si es que los ven!

Mientras el niño, aún despierto, espera que «quizá papá llegue pronto». Niño abandonado, padre abandonador.

Si un niño está mal aconsejado, aprenderá a aconsejar(se) mal

Quien aconseja: «pues tú no te dejes; no seas tonto, si alguien te pega, pégale tú más», está educando muy mal. Debería aconsejar: «dile que no te pegue porque te hace daño, y que es mejor jugar y ser amigos. Y si no te hace caso, márchate y busca al profesor». Y ojalá que el profesor no vuelva a decirle: «pues tú no te dejes, no seas tonto; si alguien te pega, pégale tú más».

Si un niño cultiva el egoísmo, aprenderá a cultivar(se) en el egoísmo

Cuando a un niño se le da el consejo: «no le prestes tu libro», se está fomentando el egoísmo infantil, pues compartir es algo que a los niños les cuesta mucho.

Pero...

Si un niño vive amado, aprenderá a amar(se)

El amor y la protección a un niño deben ser incondicionales. Nunca deben ponerse en duda. El niño debe saber que se le quiere siempre. También, por supuesto, cuando se le regaña. Cuando se le reprende es por su bien, y así debemos hacérselo entender.

Si un niño vive cuidado, aprenderá a cuidar(se)

Cuidar no es imponer un corsé de hierro, no es desplegar una rigidez excesiva, ni agobiar o atosigar. Tampoco es poseer.
Cuidar es soportar todos los desvelos al principio, para que al final el niño pueda gozar de autonomía y de libertad.

Si un niño vive acogido, aprenderá a acoger(se)

Acogida no significa permisividad absoluta: «que haga lo que quiera, pero que me deje en paz»; «que haga lo que quiera, porque a mí mis padres no me permitieron nada»; «que haga lo que quiera, que para eso es la democracia»; «todos hemos sido niños»; «son niños y no hay que darle importancia»; «déjalos que sean felices», etc. Permitir a los niños salirse siempre con la suya puede llevarlos a no sentir ninguna responsabilidad por sus actos. Por el contrario, cuanto más claros tengan los límites desde pequeños, menos problemas padecerán después.

Acoger es partir de lo que el niño es, potenciando lo mejor y corrigiendo con cariño lo peor cuando llega el momento: mañana es tarde. La posición «cuando sea mayor ya habrá tiempo de ponerle límites» es falsa. Esperar a que el niño comprenda la importancia de la disciplina para someterse a ella constituye una equivocación, pues cuanto mayores son los niños, tanto más complicado resulta poner límites a sus desafueros.

Si un niño vive educado, aprenderá a educar(se)

Si con un niño utilizamos buenos modales, si le solicitamos permiso antes de hacer cosas, si respetamos su intimidad, si lo escuchamos con atención, entonces al final también él utilizará buenos modales, solicitará permiso...

Si un niño vive la justicia, aprenderá a ajustar(se)

Para que un niño sea justo, debe vernos practicar alegremente la equidad con amigos, vecinos y extraños. La fuerza del ejemplo es primordial para educar en valores. ¡No vaya a pasarnos lo que a aquel autor de una *Guía para peatones*, que resultó atropellado el mismo día en que salió el libro!

El niño soporta con paciencia algunas molestias, dificultades y disgustos si los adultos a quienes admira le han hecho ver que es bueno ser tolerante. Si un niño nota que su madre amada está muy agotada, no hará ruido para no interrumpir su descanso. Si advierte que algún hermanito está triste, le regalará cualquiera de sus propios juguetes o jugará con él. En la medida de su desarrollo evolutivo, comprenderá que necesita estar atento a quienes están atentos a él. Aprenderá que hay momentos oportunos e inoportunos para pedir cosas, según la situación de la otra persona, para preguntarse por la tristeza o alegría de los demás y para buscar los medios con qué superar las dificultades. La pregunta lógica y normal, «¿por qué debo desprenderme de este juguete?» encuentra respuesta sencilla y no necesitada de justificaciones intelectuales cuando el niño ve que el adulto admirado se desprende una y otra vez de sus propios «juguetes» y los comparte como cosa normal con quienes no los tienen; cuando ve que habla con respeto de los demás; cuando no murmura, ni calumnia, ni difama; cuando no usa el autobús sin pagar, cuando no cuenta pequeñas mentiras; cuando ayuda a sus propios hermanos más necesitados; cuando se acerca a enfermos para auxiliarlos, etcétera.

Asimismo aprenderá a preguntarse por la identidad y la diferencia: «esto le molesta a él; ¿por qué no me molesta a mí?», «esto le agrada a él; ¿por qué no me agrada a mí?», etcétera.

Todo lo dicho es tan evidente, que hasta podría expresarse en sencillas palabras:

Más valor tiene a la hora de enseñar
estilo de vida que forma de hablar.

No hay lección más desleal
que hablar bien y vivir mal.

Enseñar el bien sin ser bueno
es locura y desafuero.

La mucha palabrería
enturbia la pedagogía.

La tarea de educar es tan hermosa y apasionante como no siempre fácil. De lo que no cabe duda es de que ustedes, padres y maestros, son insustituiblemente importantes, y de que pueden hacerlo. Puede hablar a su hijo con autoridad quien predica con el ejemplo:

Mañana, hijo mío, todo será distinto;
sin látigo, ni cárcel, ni bala de fusil que reprima la idea.
Pasarás por las calles de todas las ciudades,
en tus manos las manos de tus hijos,
como yo no lo puedo hacer contigo.
No encerrará la cárcel tus años juveniles como encierran los míos,
ni morirás en el exilio temblorosos los ojos,
anhelando el paisaje de la patria.
Mañana, hijo mío, todo será distinto.[1]

Este libro y su autor viven plenamente convencidos de que la educación científica y moral del niño no estará nunca completa sin el ejemplo concreto y personal de ustedes, los padres y los maestros. De su ejemplo depende el porvenir de este niño, y el de las generaciones venideras.

Muy estimados padres y maestros, vamos a trasladar a la acción todas estas recomendaciones que sin duda ustedes conocen teóricamente. Al respecto nunca se insistirá bastante en la necesidad de aprender a ser permanentemente niños para ponernos de puntillas y

[1] Edwin Castro escribió estos versos desde la cárcel en 1958.

ver el horizonte, para recuperar en nuestros ojos adultos la ilusión y
la infinitud de los mundos infantiles, que parecen no tener fin.
Por eso querría decirles lo siguiente:

Hablen con los niños
y no simplemente a los niños.
Escuchen lo que tienen que decir.
Respeten sus derechos a ser escuchados.
Ayúdenlos a ser ellos mismos.
Y, por encima de todo,
dejen que les enseñen
lo que quizá ustedes ya hayan olvidado:
la comprensión, la ingenuidad.

Y nada más; feliz travesía: ustedes pueden hacerlo.

Índice de contenido

Capítulo 1

Sus hijos los necesitan, padres

EL HOGAR, TODOS PARA UNO Y UNO PARA TODOS

Lo primero es el hogar. No es lo único, pero sí lo primero. En él aprendemos lo que somos, aunque no sólo ahí. Cuando el hogar no funciona, lo demás no funciona. El hogar nace, pero también se hace. Hacer hogar requiere el concurso de todos sus componentes, especialmente de los padres. Cada uno de nosotros, los miembros de la familia, asume el siguiente compromiso para construir el hogar común:

a) Respetaré a mi familia como grupo y a cada persona con su libertad y autoridad. No violaré los derechos, dentro o fuera de casa, de cada uno de los miembros que componen mi familia. Tampoco los usaré ni seré desagradecido.

b) Seré fiel a mis compromisos como cónyuge, padre o madre, hijo o hermano. En el caso de que desapareciera mi amor, por lo menos cumpliré con las exigencias de la justicia y de la fidelidad, para que todos puedan llevar una vida digna y realizarse como personas. Jamás haré a los de mi familia lo que no quiero que me hagan a mí.

c) Manifestaré mi amor y confianza. Con la base de la justicia, colaboraré con mis obras y mis palabras para que mi familia sea una comunidad de amor. Procuraré que cada uno se sienta aceptado, valorado y amado por mí. No descargaré mi agresividad y procuraré tratar a todos como lo hago con mis amigos. Como prueba de mi amor ofreceré mi confianza y lucharé contra la autosuficiencia, que desconfía de las ayudas ajenas o de las intenciones de los demás.

d) Estaré dispuesto al diálogo comprensivo. Daré facilidades para mantener el diálogo familiar permanente. Regalaré mi comunicación al cien por ciento y no esperaré a que los demás se abran a mí. Me esforzaré por comprender al otro con su mentalidad y sus problemas. No me cerraré viendo las cosas exclusivamente desde mi punto de vista. Sumaré las verdades parciales para obtener la verdad total, que me enriquecerá.

e) Practicaré el arte de criticar y de motivar. Me esforzaré en ser suave en mis críticas, exigencias y correcciones. Procuraré actuar con oportunidad, moderación, amor y serenidad. Sabré recibir con humildad la verdad amarga. Además, procuraré motivar a cada miembro de mi familia. Elogiaré los progresos y no multiplicaré los defectos. Me consideraré como un apoyo en la realización de todos.

f) Aceptaré los defectos y las faltas de los otros hasta con buen humor. Dominaré mi agresividad en los contratiempos, para que en mi familia prevalezca un ambiente de paz y bienestar. Igualmente aceptaré con valor mis carencias, procurando luchar por mi realización según mis posibilidades. Tendré cuidado de no culpar a los otros de mis limitaciones y fracasos.

g) Procuraré reconciliarme cuando ofenda o haya sido ofendido. Por tanto, sabré reconocer mis errores, pedir perdón por las ofensas y omisiones y otorgar un perdón generoso. También me esforzaré en corregirme con diligencia en los defectos que los demás me señalen.

h) Ayudaré a mi familia al participar en las tareas de casa, con una sonrisa cuando esté enojado, con el olvido de las injusticias que me hicieren y con humildad al ceder un poco en lo que yo creo que es verdadero y justo.

i) Desde mi familia, serviré al prójimo más necesitado. Testimoniaré la entrega generosa de mi persona con sus dotes y bienes materiales. Contemplaré el servicio como una exigencia de la fraternidad humana, agradeciendo cuanto de bueno recibí en mi familia, trabajando por otras familias que carecen de bienes materiales o espirituales.

j) Si soy creyente, pediré ayuda a Dios para testimoniar la fe de manera consciente, coherente, compartida y caritativa. Mi amor a Dios será con todo mi corazón. Y mi amor a mi familia estará motivado también por mi amor a Dios. Sin vergüenza alguna testimoniaré mi fe ante mi familia, y con valor compartiré con padres, hijos o hermanos mis experiencias religiosas. Con esperanza rezaré para que mi familia sea hogar de realización personal y ambiente donde se realice el Reino de Dios, que es de justicia, libertad, amor y paz.[2]

El padre y la madre son las piedras angulares del hogar. Ambos deben ser uno. No basta con uno. Cuando un hombre cuyo matrimonio funcionaba mal acudió al maestro en busca de consejo, el maestro le dijo: tienes que aprender a escuchar a tu mujer. El hombre se tomó

[2] Sánchez, U., en «Signo de los tiempos», México, febrero de 1994, p. 32.

a pecho este consejo y regresó al cabo de un mes para decirle al maestro que había aprendido a escuchar cada una de las palabras que decía su mujer. Y el maestro, sonriendo, le dijo: ahora vuelve a casa y escucha cada una de las palabras que ella no dice. Una vez hecho lo cual, ahora vuelve a casa y escucha cada una de las palabras que tus hijos no dicen.

Ante la nueva pregunta del hombre: «¿qué debemos hacer para que perdure nuestro amor?», el maestro respondió: «amen los dos juntos a sus hijos».

PETICIÓN DE LOS PADRES

La madre

Que la primera impresión que reciban mis hijos de mí sea limpia, santa, elevadora.

Que mi ejemplo los conduzca hacia lo mejor.

Que sea firme para castigarlos en caso de necesidad, pero justa y bondadosa.

Que no interfiera mi tristeza en su alegría sonora.

Que no los instruya cuartelera ni carcelariamente, sino en libertad responsable.

Que no los humille ante nadie ni los desprecie, ni arruine su carácter con ridículas exigencias, sino que los acoja incondicionalmente para restaurar sus heridas.

Que les inspire confianza, a pesar de mis fallos.

Que no discrimine ni compare, ni tenga absurdas predilecciones, sino que asuma las inevitables diferencias.

El padre

Que mi hijo pueda aprender de mí, más allá de mí, a:

- Ser lo bastante fuerte como para conocer su debilidad y tan valiente como para reconocer su miedo.
- Ser tan entero y resuelto en la derrota honrosa, como generoso y humilde en la victoria.
- No tener el corazón donde deba estar el cerebro, ni a la inversa.
- Saber que el conocimiento de sí mismo es la primera de las sabidurías.
- No caminar por el sendero de lo fácil y cómodo, sino por el de las dificultades y los obstáculos que hacen madurar.

- Aprender a sostenerse en pie durante las tempestades y a ser compasivo con quienes flaquean.
- Ser puro en su corazón y limpio en sus aspiraciones.
- Alcanzar el señorío de sí mismo antes que pretender dominar a los demás.
- Reír sin olvidar llorar.
- Lanzarse hacia el porvenir sin perder de vista el pasado y la enseñanza de la historia.

EXHORTACIÓN AL HIJO

Plática de un padre del México antiguo

«Hijo mío, criado y nacido en el mundo por Dios, en cuyo nacimiento nosotros, tus padres y parientes, pusimos los ojos. Has nacido y vivido y salido como el pollito del cascarón y, creciendo como él, ensayas el vuelo. No sabemos el tiempo que Dios querrá que gocemos tan preciosa joya.

«Vive, hijo, con tiento, y encomiéndate al Dios que te creó, que te ayude, pues es tu padre que te ama más que yo. Suspira a Él de día y de noche y en Él pon tu pensamiento. Sírvele con amor; Él te dará mercedes y te librará de peligros. A la imagen de Dios y a sus cosas ten mucha reverencia y ora delante de Él devotamente. Reverencia y saluda a los mayores, no olvidando a los menores. No seas como mudo, ni dejes de consolar a los pobres y afligidos con dulces y buenas palabras. A todos honra, y más a tus padres, a los cuales debes obediencia, servicio y reverencia. El hijo que eso no hace no será buen hijo. Ama y honra a todos y vivirás en paz y alegría. No sigas a los locos desatinados, que no acatan a padre ni reverencian a madre, mas como animales dejan el camino derecho y, como tales, sin razón, ni oyen recomendación, ni se corrigen. Mira, hijo, que no hagas burla de los viejos o enfermos o faltos de miembros, ni del que está en pecado o erró en algo. A nadie seas penoso, ni des a alguno cosa no comestible.

«Serás, hijo, bien criado, y no te entremeterás donde no fueres llamado, porque no des pena y no seas tenido por mal mirado. No hieras a otro, ni des mal ejemplo, ni hables demasiado, ni cortes a otros la plática y, si no hablan derechamente, para corregir están los mayores; mira bien lo que tú hablas. Si tienes que hablar, habla; pero cuerdamente y no como bobo que presume, y será estimado lo que digas.

«No salgas ni entres delante de los mayores; sentado o en pie, donde quiera que estén siempre, les das la ventaja y les harás reverencia. No hables primero que ellos, ni atravieses por delante, porque no seas de otro notado por malcriado. No comas ni bebas primero, antes sirve a los otros, porque así alcanzarás la gracia de los mayores. Si te fuere dado algo, aunque sea de poco valor, no lo menosprecies, ni te enojes, ni dejes la amistad que tienes. No toques ni llegues a mujer ajena, ni por otra vía seas vicioso. Aún eres muy tierno para casarte, como un pollito, y brotas como la espiga. Sufre y espera, porque ya crece la mujer que te conviene: ponlo en la voluntad de Dios, porque no sabes cuándo te morirás. Si tú casarte quieres, danos primero parte de ello, y no te atrevas a hacerlo sin nosotros. Mira, hijo, no seas ladrón ni jugador, porque caerás en gran deshonra y nos afrentarás en vez de honrarnos. Trabaja de tus manos, vive de lo que trabajes, y vivirás con descanso. Con mucho trabajo, hijo, hemos de vivir; yo con sudores y trabajos te he criado, y así he buscado lo que habías de comer y por ti he servido a otros. Nunca te he desamparado, he hecho lo que debía, no he hurtado ni he sido perezoso, ni he hecho vileza por donde tú fueses afrentado.

No murmures ni digas mal de alguno y, si siendo bueno lo hubieres de contar, no añadas ni pongas algo de tu cabeza. No mientas ni te des a parlerías. Si tu dicho fuera falso, muy gran mal cometerás. No revuelvas a nadie, ni siembres discordias entre los que tienen amistad y paz, y viven y comen juntos y se visitan. No ofendas a ninguno, ni le quites ni tomes su honra y galardón y merecimiento. Toma, hijo, lo que te dieren y da las gracias; y, si mucho te dieren, no te ensalces ni ensoberbezcas, antes sé humilde y será mayor tu merecimiento.

Cuando alguno te hable, hijo, no muevas los pies ni las manos, porque es señal de poco seso, ni estés mordiendo la manta o vestido que tuvieres, ni estés escupiendo ni mirando a una parte y a otra, ni levantándote a menudo si estuvieras sentado, porque te mostrarás ser malcriado y como un borracho que no tiene tiento. Mira, no presumas mucho aunque tengas muchos bienes, ni menosprecies a los que no tuvieron tanto, porque no enojes a Dios que te los dio y a ti no te dañes.

No comas arrebatadamente, que es condición de lobos, y además de esto te hará mal lo que comas. Siendo, hijo, tú el que debes, contigo y por tu ejemplo vituperarán y castigarán a los otros que fueren negligentes y malmirados y desobedientes a sus padres. Ya no más, hijo; con esto cumplo la obligación de padre. Con estos avisos te ciño y fortifico y te hago misericordia. Mira, hijo, que no los olvides ni de ti los deseches.»[3]

He ahí todo un tratado antiguo de valores para uso filial.

---

[3] Cfr. Rocha, A., *Los valores que unen a México. I. Del México prehispánico (Cultura náhuatl)*. Fundación México Unido, México, 1996, 454 pp.

PLÁTICA DE KIPLING

«Si puedes mantenerte sereno, cuando todo a tu lado está perdido y te culpan a ti; si puedes confiar en ti cuando todos te niegan y disculpas siempre sus dudas; si esperas sin fatiga la espera, si engañado no tratas de engañar, o siendo odiado no das paso al odio y sin embargo no aparentas ser demasiado bueno, ni hablas con demasiada cordura; si sueñas y no dejas que los sueños te hagan su esclavo; si piensas y no haces de tus pensamientos tu objetivo; si encuentras el triunfo y la derrota y a los dos impostores los tratas de igual forma; si soportas oír la verdad de lo que has dicho tergiversada por canallas para tender una trampa, o ves destrozadas las cosas que tú has hecho en la vida y desde abajo comienzas a construirlas de nuevo con herramientas desgastadas; si puedes hacer un montón con tus ganancias y perder y empezar otra vez desde un comienzo sin decir nada a nadie de lo que eres y de lo que eras; si hablas con el pueblo y guardas tu virtud, o tratas con reyes sin dejar de ser común; si nadie que te hiera llega a infligirte la herida; si llenas el minuto inexorable y cierto con sesenta segundos que te lleven al cielo, entonces todo lo de esta tierra será de tu dominio y mucho más: serás hombre, hijo mío.»

apítulo 2

Sus alumnos los necesitan, maestros

LA ESTIMA SOCIAL (DIMENSIÓN COMUNITARIA)

Todos estamos convencidos de que la familia es una escuela de formación axiológica imprescindible, y al menos teóricamente así lo manifestamos. Pero, ¿valoramos la escuela como se merece?, ¿la tenemos en la estima social que ella requiere?

Las sociedades con visión de futuro miran a lo lejos y trabajan a la vez desde la cercanía y la inmediatez. Si planificas por un año, siembra trigo; si planificas por una década, planta árboles; si planificas por una vida, educa personas, dijo Kwan-Tzu en el año 300 a. C. Los grandes maestros han recomendado lo mismo siempre: tú planta árboles que aprovechen a otra generación. Cuando llegó a oídos de uno de ellos la noticia de que un bosque cercano había sido devastado por el fuego, movilizó inmediatamente a sus discípulos: «debemos replantar los cedros», dijo. «¡Pero si tardan dos mil años en crecer!», contestaron sus discípulos. «Precisamente por eso tenemos que comenzar de inmediato, no hay tiempo que perder», sentenció el maestro.

A un conferenciante se le pidió que preparase una exposición de una hora. Después se le pidió que la redujese a 30 minutos. Más tarde a 15. Por último a cinco minutos. Fue entonces, y sólo entonces, cuando el conferenciante renunció: «no puedo, no conozco el tema tan bien como para exponerlo en cinco minutos». Tampoco puede enseñar bien a niños pequeños quien se prepara sólo durante un tiempo pequeño: a niño pequeño, tiempo grande.

Cuanto menos valore la sociedad a los maestros, tanto peor cumplirán ellos con su misión. Desafortunadamente, no todos los padres dirán a sus hijos palabras de homenaje al magisterio tan hermosas como éstas:

> Tu compañero no se queja nunca de su maestro, estoy seguro de que nunca dice: «el maestro estaba de mal humor, estaba impaciente». Tú lo dices en tono resentido. Piensa cuántas veces demuestras impaciencia con tu padre y con tu madre, con los cuales tu impaciencia es un crimen. ¡Tiene mucha razón tu maestro al ser a veces impaciente! Piensa en los

años que hace que lidia con chicos y que, si tuvo muchos cariñosos y agradables, encontró también muchísimos ingratos, que abusaron de su bondad e ignoraron su fatiga; y piensa que, por desgracia, entre todos, ustedes le dan más amarguras que satisfacciones. Piensa que el más santo varón de la tierra, puesto en su lugar, se dejaría dominar a veces por la ira. Y además ¡si supieras cuántas veces el maestro va a dar clases enfermo, sólo porque no tiene una enfermedad bastante grande para dispensarle de la escuela, y está impaciente porque sufre y siente un gran dolor al ver que ustedes no se dan cuenta o abusan de ello! Respeta y ama a tu maestro, hijo, ámalo, porque tu padre lo ama y lo respeta; porque él consagra su vida al bien de tantos muchachos que lo olvidarán; ámalo porque te abre e ilumina la inteligencia y te educa el corazón; porque un día, cuando seas hombre, y no estemos ya en el mundo ni él ni yo, su imagen se presentará con frecuencia al lado de la mía y entonces, ya verás, has de recordar ciertas expresiones de dolor y de cansancio de su rostro de hombre de bien, en las que ahora no te fijas, y te causarán pena, incluso pasados 30 años, y te avergonzarás, sentirás tristeza de no haberlo querido mucho, de haberte portado mal con él. Ama a tu maestro, porque pertenece a esa gran familia de cincuenta mil maestros elementales, diseminados por todo el país, que son como los padres intelectuales de los millones de chicos que contigo crecen; los trabajadores mal comprendidos y mal recompensados que preparan para nuestro país un pueblo mejor que el actual. No estaré satisfecho del cariño que sientes por mí si no lo tienes también a todos los que te hacen el bien, y entre ellos tu maestro es el primero después de tus padres. Ámalo como amarías a un hermano mío; ámalo cuando es justo y cuando te parece que es injusto; ámalo cuando está alegre y afable, y ámalo todavía más cuando lo veas triste. Ámalo siempre. Y pronuncia siempre con reverencia este nombre «maestro» que, después del de padre, es el más noble, el más dulce nombre que pueda dar un hombre a otro hombre.»[4]

Hermosas palabras de aliento al maestro. Ojalá las profiriese siempre toda la sociedad. Al menos los niños valoran al maestro.

LOS MAESTROS, NUESTROS SEGUNDOS PADRES (DIMENSIÓN HETEROAFECTIVA)

Hemos preguntado: ¿cómo ha de ser el buen profesor?: ¿el que se preocupa por ti?, ¿el que quiere enseñarte la materia?, ¿el superexigente?, ¿el justo?, ¿el condescendiente?, ¿el «pedazo de pan»?, ¿el simpático?, ¿el compañero?, ¿el amigo?, ¿...?

Y las respuestas de los alumnos de secundaria son –como suelen serlo– todo un repertorio de sensatez y de sinceridad, del que

4 Edmundo de Amicis, *Corazón, diario de un niño*, Alianza, Madrid, 1984, pp. 73-74.

podemos extraer como consecuencia que el buen maestro continúa siendo para ellos irremplazable. He aquí algunas de esas respuestas:

Personalmente prefiero al profesor que sabe ganarse nuestro aprecio porque respeta nuestras convicciones. Prefiero al maestro amigo, al que consideramos uno más de nosotros. Alguien que sabe estar en su sitio como educador, pero que no quiere demostrar que es superior a nosotros, ni se pasa el día marcando las distancias.

Luis

Yo soy partidaria de que existan unas relaciones amistosas entre profesor y alumno pero, eso sí, dentro de unos límites. El profesor enseñando y el alumno aprendiendo se pueden llevar perfectamente; si, desde el primer día el profesor se nos mostrase como un amigo –y no como un amiguete–, pienso que la enseñanza sería más fácil, y que no tendríamos ese temor que se suele tener cuando se ignora alguna cosa.

Margarita

Un buen profesor debería intentar adentrarse en el alumno lo más posible, dar sus clases amenamente, a las que asistiera el alumnado por propia voluntad y no por imposición del profesor. Buen profesor quiere decir preocuparse por los problemas del alumno, por sus inquietudes, e incluso que fuese capaz de saber expresar giros lingüísticos propios del joven; en fin, que fuese el alumno que tiene algo que enseñar. Yo me quedo con este tipo de profesor, al que considero un amigo más; eso sí, guardando las distancias que han de guardarse.

Paco

Para mí un buen profesor sería el que demostrase confianza por el alumnado, el que se interesase porque aprendiera, y no de que aprobara los muchos exámenes que se hacen, que apoyara y diera consejos al alumno, recibiendo a cambio la satisfacción de un alumnado bien preparado, y la simpatía de todos.

Eva

El buen profesor es el que se ocupa de nosotros, el que quiere que sus alumnos aprendan y, como suele decirse, sean algo en la vida. El que se enorgullece de que sus alumnos aprueben, aunque no deberían existir los exámenes. El que tiene un ambiente de confianza y de verdadera amistad en su clase. El que no se cree superior a nosotros porque tenga un cartelito donde ponga: 'Licenciado en X'. Aquel para el que somos personas y no conejos de Indias ni burros a los que se puede tomar el pelo, reírse de ellos y suspenderlos. Con una persona así se puede estudiar a gusto y aprender mucho más que con los otros. Si el profesorado fuera así, seríamos portentos en muchas cosas, no sólo en una, como ocurre en la actualidad, ya que, para tener un profesor con estas características, debes tener mucha suerte y te puedes considerar afortunado. Una persona con estas características no la encuentras todos los años, aunque debiera ser así.

Silvia

Para mí el maestro es aquella persona que convive con el alumnado, que se preocupa por él, que se pone en su lugar, pero guardando cierta separación; es aquel al que le preocupa el sistema de estudios del alumno, el que quiere que aprenda realmente, que se le quede en el cráneo la sapiencia que se le trasmite, y el que no quiere que después del examen lo olvide todo. El maestro nos ofrece sus conocimientos y recibe nuestra escasa sabiduría y nuestro afecto. El profesor, por el contrario, a diferencia del maestro, es el que se limita a llegar a clase, a dar la lección, y a irse por donde ha venido, como si no impartiese enseñanzas a personas, sino a robots o máquinas de computar muchos datos. Al maestro te acercas y lo quieres, al profesor no. Al maestro lo escuchas, al profesor lo oyes; al maestro lo observas, al profesor sólo lo ves.

Carmelo

Un profesor debe saber su asignatura, estar en condiciones de explicarla, comprender a sus alumnos, no sólo a los mejores, sino y sobre todo a los peores, a los que tienen más problemas; debe procurar enseñar a todos por igual, ayudando al que más lo necesita, sin olvidarse del que necesita menor apoyo. Pero, cuando todas esas cualidades las reúne un buen profesor, entonces se convierte en maestro, ha dejado de ser ese ente abrupto que entra y sale de la vida del alumno a intervalos y sin continuidad, llevándolo unas veces con la mano y otras con la correa, o hasta dejándolo perderse, para pasar ahora por el contrario a estar atento a su camino, acompañándolo y enseñándolo sin llevarle de la mano.

Berto

Los necesitamos a ustedes. Los profesores, nuestros segundos padres, deben ser también y a la vez nuestros maestros. Hay veces en que en un solo día ves a un profesor más tiempo que a tu propio padre. Tal vez en las escuelas busquemos igualmente aquello que no encontramos en nuestras propias familias como, por ejemplo, cariño, afecto, seguridad, etc., búsqueda que lamentablemente en ocasiones se topa con la pared.

Laura

A unos alumnos que dan tales respuestas, el buen maestro responde agradecido:

¡Estudia lo elemental! Para aquellos
cuya hora ha llegado
no es nunca demasiado tarde.
¡Estudia el abc! No basta, pero
estúdialo. ¡No te canses!
¡Empieza! ¡Tú tienes que saberlo todo!
Estás llamado a ser un dirigente.
¡Estudia, hombre en el asilo!
¡Estudia, hombre en la cárcel!
¡Estudia, mujer en la cocina!
¡Estudia, sexagenario!
Estás llamado a ser un dirigente.
¡Asiste a la escuela, desamparado!
¡Persigue el saber, muerto de frío!
¡Empuña el libro, hambriento! ¡Es un arma!
Estás llamado a ser un dirigente.
¡No temas preguntar, compañero!
¡No te dejes convencer!
¡Compruébalo tú mismo!
Lo que no sabes por ti no lo sabes.
Repasa la cuenta,
tú tienes que pagarla.
Apunta con tu dedo a cada cosa
y pregunta: 'Y esto, ¿de qué?'
Estás llamado a ser un dirigente».[5]

LA NECESARIA AUTOESTIMA DEL MAESTRO (DIMENSIÓN AUTOAFECTIVA)

Para estimar al alumno, el maestro tiene que estimarse a sí mismo, ya que nadie da lo que no tiene.

Al maestro no le basta ni la estimación social, ni la de sus alumnos, aunque las necesite. El maestro es un ser humano precisado de autoestima y satisfacción para poder ejercer su difícil profesión.

Si en lo social todo depende de la capacidad que tengan la sociedad, las administraciones públicas y las administraciones de los centros, de satisfacer sus necesidades de estima, de prestigio y de estatus, en el orden de la personal autoestima influyen muchos elementos.

Puede influir en primer lugar el modelo educativo en que el docente ha sido formado. En los viejos modelos educativos cerrados y estáticos, donde se subrayaba lo que se hacía mal y no lo que se hacía bien, lo último había que descubrirlo por sí mismo, pero lo primero era permanentemente señalado a uno por los demás encar-

[5] Brecht, B., *Poemas y canciones*, Alianza, Madrid, 1978, pp. 70-71.

gados de su educación. La desconfianza en sí mismo que genera este modo de educar se proyecta a su vez en forma de desconfianza en los alumnos, pues subconscientemente se termina actuando sobre los propios alumnos de modo similar a como otros actuaron con uno mismo, según la tendencia a reproducir los patrones de conducta que a cada cual le sirvieron de referente. Dado que todo educador siente una natural inclinación a educar a su propia imagen, por considerar que nuestra sabiduría ha de ser también la de nuestros hijos, y que nuestras experiencias son válidas incluso para ellos, los maestros deberíamos conservar en nuestra propia cabeza la memoria histórica de la propia vida para tratar de ponernos en el lugar del alumno, pensando en el alumno que uno mismo fue; de este modo tendríamos más paciencia con los procesos ajenos.

Por otra parte, actúan en toda persona unos mecanismos de supervivencia que le inducen a solucionar las dificultades o las nuevas situaciones con el menor grado de incomodidad posible. Se adoptan así unas actitudes que permitan paliar los sentimientos de frustración, de miedo, etc., a través de la evasión de los problemas. En consecuencia, en la interacción educativa se tenderá a evitar los problemas haciendo uso de las actitudes impositivas que parecen resolver las situaciones de forma más contundente e inmediata.

En determinadas profesiones y estatus sociales surge a veces también un sentimiento de victimación. El docente puede ser más proclive a este sentimiento, toda vez que su labor no siempre es bien entendida, valorada y prestigiada por la sociedad. Quien se siente víctima adopta actitudes evasivas y de desinterés. Culpa a los demás, a las circunstancias, renuncia a asumir responsabilidades e, incluso, tiende a separarse del entorno. Es posible que, inconscientemente, proyecte sobre el alumno tal victimismo en forma de desinterés por él.

La inseguridad podría ser también reflejo de un deseo de poder sobre el alumno, asociado a la necesidad de tener todo absolutamente controlado. Si preveo que algo escapa a mi control, tenderé a inhibirlo. Y todo eso lesiona la autoestima. Por ello es necesario conocerlo y luchar para contrarrestarlo.

Hemos hablado hasta aquí con la necesaria brevedad de los elementos afectivos interactuantes en el proceso educativo. Pero hay en la escuela otro factor, el de los contenidos, que el maestro debe tomar en consideración.

LA NECESARIA FORMACIÓN PROFESIONAL PERMANENTE EN EL MAGISTERIO (DIMENSIÓN SAPIENCIAL)

«Nunca dudé de que un pequeño grupo de ciudadanos reflexivos y entregados a su causa pueda cambiar el mundo. A decir verdad, nunca ha ocurrido de otra manera», escribió la antropóloga Margaret Mead. Nosotros tampoco lo dudamos, de ahí nuestra insistencia en la ineludible formación permanente de los docentes promotores de buena ciudadanía. En nuestros días los saberes aprendidos se tornan caducos cada 10 años aproximadamente. Si no reactualizásemos nuestros saberes, pronto seríamos incapaces de enseñar a la altura de los tiempos, pero una sociedad con docentes caducos terminaría siendo ella misma una sociedad siempre rezagada. Contra eso sólo cabe la formación permanente y la reactualización del magisterio. La Administración debe prever y proveer los medios adecuados, pues las generaciones no se manejan como domas de animales o como levas de rebaño. Cada niño necesita atención, cuidado, dedicación, preparación, mimo. Sin ello, la apología del patriotismo no pasará de ser una hipérbole interesada.

La educación es a la vez en cada persona una socialización de la generación nueva. Los hechos sociales no son cosas, ni educar es un mero organizar hábitos de acción capaces de adaptar al individuo a su medio ambiente y social. Educar es también forjar un ideal de ser humano, promover una actividad en progreso y perfeccionamiento hacia una meta de humanismo. Lo decisivo de la educación consiste en retomar la experiencia acumulada por las generaciones anteriores para vivir renovadamente ese ideal configurando un futuro más humano en todos los sentidos, en el informativo y en el formativo. Por eso educar a una persona tan sólo intelectualmente, pero no moralmente, constituye una amenaza para la sociedad entera y para cada uno de sus componentes. Educar a una persona es enseñarla a usar bien su libertad y a ser corresponsable de sus actos. Y si el docente no renueva también su formación moral, ¿cómo podría enseñarla?

Sabemos ya que hacen falta amor y rigor técnico para enseñar bien. Pero ambos nada serían sin el tercer elemento, que cierra el ámbito educativo: la actitud del maestro.

UNA ACTITUD PEDAGÓGICA PERSONALIZADA (DIMENSIÓN ACTITUDINAL)

La falsa actitud autoritaria

El maestro:

- Ordena los procedimientos que se han de seguir.
- Revela los pasos a dar de uno en uno, permaneciendo el futuro siempre incierto.
- Determina tanto la tarea como los compañeros para cada miembro del grupo.
- Distribuye arbitrariamente premios y castigos.
- Dirige, pero no participa.
- Dicta lo que el alumno reproduce.
- Produce sumisos dogmáticos o defensivos hostiles e indaptados.

La falsa actitud ultrapermisiva

El maestro:

- Deja al grupo total libertad para diseñar su forma de conducta.
- Suministra materiales, pero apenas participa en las discusiones; sólo proporcionará más información en caso absolutamente necesario.
- No participa en la designación de tareas ni de compañeros.
- Sólo comenta las tareas cuando se le pregunta.
- No evalúa.
- Se muestra neutral en todo.
- Prácticamente no existe, y el alumno queda a merced del ambiente.

La verdadera actitud personalizadora

El maestro:

- Anima los procedimientos que el grupo asume, y los pone de relieve con la fuerza de su propio ejemplo.
- Ayuda a transformar la información mediante la construcción de nuevos conocimientos y la valoración de los mismos.
- Ante la aparición de nuevas habilidades cognitivas y de nue-

vos esquemas mentales cargados de valor, ayuda al educando a realizar construcciones axiológicas y cognitivas personalizadas, para que tome postura en libertad razonada.

- Ayuda a configurar personalidades objetivas, flexibles y críticas, capaces de adaptarse y a la vez de creatividad, de respeto y tolerancia, pero también de discrepancia en libertad; en una palabra, personas seguras y optimistas, en la medida en que la percepción de la realidad resulta más asequible a las propias posibilidades.

- Comprende lo que promueve y lo que piensa y siente el alumno, pues tan importante como preguntar «¿qué piensas?» es preguntar «¿qué sientes?», sin que eso deba entenderse como falta de exigencia, ni como un saqueo de la intimidad del alumno. Las deliberaciones en el aula van configurando un sentido de la perspectiva, un esquema general de comportamiento. Si hay dudas, el maestro presenta alternativas.

- Los miembros del grupo son libres para elegir compañeros y para repartirse las tareas.

- El maestro procura ser objetivo a la hora de la alabanza y de la crítica.

- El maestro sabe poner a cada cual en su lugar.

- Discierne entre falsa y verdadera acogida.

- Busca convencer, más que vencer.

- Propone soluciones alternativas. No dice siempre «no»; se deja interpelar.

- Deja de reclamar como un derecho lo que puede pedir como un favor.

- Evalúa las soluciones al analizar en qué sentido son válidas para cada uno, eliminando lo insatisfactorio para ambas partes.

- Procura que no haya vencedores ni vencidos. Quien se siente satisfecho porque ha fastidiado al otro, se equivoca radicalmente.

- En caso de conflicto razonable, pregunta: ¿cómo podemos hacer esta situación más fácil?, ¿qué da respuesta a lo que yo necesito y también a lo que tú necesitas?, ¿qué alternativa puede beneficiarnos a los dos en una relación para ganar-ganar? Pacta, toma decisiones por acuerdo para que no haya perdedores: es necesario que todos ganen. Ni sólo yo tengo derechos, ni sólo tú los tienes, sino: «yo tengo derechos y quiero que los respetes. Sé que tú tienes derechos y quiero respetarlos». Frente al método autoritario, y frente al método omnipermisivo donde ocurre a la inversa, el método sin perdedor insta a las dos partes a buscar una solución donde cada cual cede lo que puede, intentando respetar los derechos de la otra persona sin renunciar a los propios.

- Aplica la solución pactada en la forma acordada.
- Revisa la solución tomada.

¿Se les ocurre alguna otra idea no incluida en esta brevísima lista? Añádanla, por favor. En esto mejor si sobran razones buenas (y sobre todo actitudes), que si faltan. No olviden que ustedes son participantes activos. Muchas recetas buenas no evitan la necesaria mano del cocinero; no hagan como aquel que dijo: «una vez que conseguimos la categoría de animales racionales, ya no tenemos necesidad de razonar».

Falsa acogida	*Verdadera acogida*
• Pasividad	• Iniciativa
• Repetitividad	• Creatividad
• Adormecimiento e indiferencia	• Curiosidad
• Domesticación	• Independencia
• Disciplina a secas	• Responsabilidad
• Dogmatismo	• Espíritu crítico
• Intolerancia	• Respeto
• Neurotización	• Humor
• Fatalismo	• Voluntad
• Artificiosidad	• Naturalidad
• Violencia	• Paz
• Opresión	• Libertad
• Acción inmediata	• Acción personalizada
• Centralismo	• Autonomía

EL MAESTRO Y LOS VALORES

Pero, precisamente por tratarse de una actividad tan crucial, conviene ser muy sincero y no llamarse a engaño durante su ejercicio. Haríamos bien en preguntarnos:

- ¿Enseño porque no tengo otra alternativa?
- ¿Enseño sólo porque tengo que sostener a mi familia?
- ¿Enseño porque así mi país progresa?
- ¿Enseño porque es mi vocación?
- ¿Enseño porque es la mejor actividad que existe?
- ¿Enseño porque me gusta trabajar en lo que sea?
- ¿Enseño porque no sé hacer otra cosa?
- ¿Enseño y colaboro en los cambios educativos de la escuela?
- ¿Enseño y valoro con orgullo mi profesión?

Si honradamente no estamos del todo satisfechos con nuestras respuestas, no debemos desanimarnos: sólo los insatisfechos pueden mejorar, nadie se encuentra siempre a la altura del ideal y es propio de personas adultas saber crecer desde la imperfección. A esa necesaria mejora de la situación ayudará una reflexión honesta sobre nuestros propios valores.

¿SÉ CUÁLES SON REALMENTE MIS VALORES BÁSICOS COMO MAESTRO?

¿Predomina en mí la información sobre los valores, o su vivencia?

¿Vivo realmente mis valores y lucho por trasmitirlos?

¿Incluyo mis valores en mi trabajo docente elaborando objetivos axiológicos?

¿Podría decir qué valores presento explícita y sistemáticamente a mis alumnos?

¿Son congruentes los métodos didácticos que empleo con los valores que propugno?

¿Propicio o aprovecho situaciones para vivir los valores con mis alumnos?

¿Me preocupo porque mis alumnos también los hagan suyos y los incluyan en sus vidas?

¿Tengo indicadores para saber si están asimilando o no los valores propuestos por mí?

En el informe a los alumnos o a las familias, ¿tengo en cuenta los valores o sólo las habilidades académicas?

¿Cuáles son las actitudes predominantes en el magisterio nacional?

¿Podría escribir una lista (en orden decreciente) de las 10 actitudes más importantes del maestro?

Tampoco importa si el resultado de esa autoencuesta no ha sido óptimo. Hagan ustedes, en ese caso, exactamente lo que hacen con sus alumnos, ni un poco más ni un poco menos: tengan paciencia y procuren mejorar peldaño a peldaño sin olvidar que ustedes pueden, y que su propia creatividad les ayudará. Los buenos pedagogos, como los buenos padres, son los que enseñan pasito a pasito. Los objetivos deben ser pocos, claros, precisos, concretos, compatibles, difíciles pero alcanzables, mensurables, pacientes. Quitar a un ser humano (adulto o niño) su ansia natural de ejercitar su fantasía y su creatividad puede destruirlo como persona. Para los seres humanos la vida es una fiesta de imaginación.

Comencemos por repasar nuestra propia escala de valores, a fin de compartirla con nuestros niños.

Capítulo 3

Los valores

JERARQUÍA AXIOLÓGICA

A continuación resumimos la tabla de valores respecto de la cual existe mayor consenso entre los filósofos. No es necesario que cada padre o profesor coincida exactamente con la tabla en cuestión. Nosotros la ofrecemos aquí como referencia, y también por ser la que a nosotros nos parece más consensada y más objetiva en líneas generales.

Valores ecológicos

Hoy hemos cobrado conciencia de que los valores personales no se dan sin el respeto a la naturaleza, la ecología.

Dentro de la ecología se distingue la «fisiodulía» (respeto –*doulos*– a la naturaleza en sentido genérico –*fisis*–) y la «ecodulía» (respeto a la naturaleza humana –*oikós*– que forma parte de la naturaleza genérica).

No se trata tan sólo de conocer la naturaleza, sino de respetarla. Los que la explotan torpemente suelen conocerla demasiado bien.

Una especie de voz de la conciencia ecológica pregunta ya a los más conscientes axiológicamente:

- ¿Qué puedo hacer para no contaminar el suelo de la ciudad donde vivo?
- ¿Qué uso hago de los vehículos, en qué estado de contaminación se encuentran?
- ¿Qué puedo hacer para no contaminar el agua de la ciudad donde vivo?
- ¿Qué tratamiento le doy a la basura?
- ¿Qué puedo hacer para no contaminar el aire de la ciudad donde vivo?
- ¿Qué uso hago del agua?, etcétera.

Valores físicos o vitales

Salud/enfermedad; fortaleza/debilidad: conocimiento, aceptación y valoración del propio cuerpo, hábito permanente de su cuidado, prevención de enfermedades y aseo.

Hábitos de orden, alimentación e higiene personales; orden y limpieza de lugares comunes.

Vigor físico: resistencia, expresividad, elasticidad y potencia corporales, vehículos de autodominio.

Estos valores son tan humildes como básicos, pues si ellos nos faltan casi todo lo demás se arruina: cuando estamos mermados de facultades físicas nos venimos un poco abajo. ¿De qué sirve el dinero ante una enfermedad incurable? ¡Más vale burro vivo que sabio muerto!

Como aspiración, todos quisiéramos vivir muchos años en la plenitud de los valores físicos, pero no hacernos viejos enfermos.

Valores sensibles

Son los valores de agrado-desagrado (placer/dolor, alegría/pena). No faltan quienes ponen toda la felicidad en el placer, algo de por sí abierto y complejo, muy ligado a la subjetividad.

Los placeres se dividen en inferiores (vinculados a la corporalidad) y superiores (ligados a la cultura, etc.), pero ambos no tienen por qué excluirse. Lo triste es cuando los placeres inferiores obsesivamente buscados nos hacen esclavos de ellos e impiden el gozo de los superiores. Pasar de los inferiores a los superiores es tarea educativa que se traduce en civilización, cultura y felicidad. La felicidad es el premio no buscado para quien se esfuerza y alcanza el valor por el valor mismo. Aunque felicidad y placer tampoco deben excluirse, el placer no es el valor superior; además, no todo valor conlleva placer: asumir el deber resulta a veces bastante duro.

Aunque todo valor es egorrelativo (no hay valor sin valorante), no todo valor egorrelativo ha de ser un valor egoísta, ya que hay actos egorrelativos que son altruistas. El típico argumento hedonista «pues tú también eres hedonista, porque en última instancia todo lo que haces lo haces porque te gusta» incurre en tres errores: desatiende lo objetivo de la vivencia, reduce el gusto al gozo y el gozo al placer material sensible.

Valores económico-utilitarios

Los valores útiles (capacidad/incapacidad; eficacia/ineficacia) cubren sobre todo el ámbito del bienestar material. Sin dinero, sin una cierta posición, se hace más difícil llegar a desarrollar los muchos talentos y oportunidades que la vida ofrece. Quien se encuentra muy urgido por lo económico no dispone de tiempo para pensar en otra cosa que en sobrevivir.

Sin embargo, cuando logrados los mínimos económicos e incluso amasadas fortunas, se vive para hacer dinero, la vida se depaupera bajo el signo de la avaricia. El avaro ignora que los componentes económicos se enriquecen con los componentes morales e incluso estéticos, ya que crean belleza. El avaro es incapaz de gastar, pues eso le causa un dolor que no es capaz de controlar o resistir, de ahí que su austeridad no sea valiosa, ya que el tener ahoga aquí al ser.

La paradoja del materialismo consiste en que los consumos materiales ligados al cuerpo o a las satisfacciones sensibles están siempre limitados por un techo: por ejemplo, no podemos volver a entrar en otro restaurante después de haber comido. Lo que no tiene techo es el consumo de bienes espirituales e inmateriales: la amistad, el humor, la música, el folclor, el saber, los gustos intelectuales, etcétera.

Valores sociales

Los valores sociales son los más sociables, debido a que en ellos las personas somos más interdependientes; en cambio, los valores más altos son más independientes y solitarios. Sin embargo, la socialidad de los valores más bajos ayuda al florecimiento de las personalidades más singulares. La aristocracia del cielo no excluye la democracia en la tierra, sino que la exige. Sólo donde hay oportunidad para que todos puedan llegar a los puestos que más responsabilidad y preparación requieren encontramos las sociedades más civilizadas.

Ni personas buenas caben en estructuras perversas, ni estructuras perversas con hombres buenos. Vivimos en comunidad y enrarecemos y somos enrarecidos cuando no actuamos axiológicamente bien. Un régimen políticamente justo exigiría personas justas, y a la inversa.

Dos actitudes resultan inadecuadas: el hipermoralismo enfermizo que tiene miedo a mancharse por contagio con los demás, y el amoralismo carente de escrúpulos, que no sólo ignora el miedo a mancharse, sino que se burla hasta de la mancha.

Valores espirituales

Si en los valores económicos las diferencias excesivas son hirientes, ofensivas e injustas, en los valores espirituales no ocurre lo mismo. Los más bajos de ellos –por ejemplo, los jurídicos– se prestan a la repetición (las leyes han de ser idénticas para todos), pero los estéticos gustan de la diferencia: el gran artista no ofende a nadie con su arte distinguido; al contrario, pues las sociedades son más valiosas cuanto más variado sea el plantel de sus artistas. También en esta esfera rige la ley común a las demás: en los valores inferiores, igualdad; en los superiores, diversidad.

Los valores espirituales son más necesarios para las personas axiológicamente más desarrolladas, aunque quienes lo están menos tienden a burlarse situándolos en las nubes. La realidad es que cualquier valor espiritual se halla presente en los demás, favoreciéndolos con su presencia o desfavoreciéndolos con su ausencia: un mundo resulta tanto más feo cuanto menos justo.

Suele aceptarse la siguiente distinción en el ámbito de los valores espirituales.

Valores intelectuales

(Verdad/falsedad; conocimiento/error). Espíritu científico: observación, comparación, clasificación, cuantificación, establecimiento de hipótesis, orden y rigor en la captación de ideas, etcétera.

Gracias a estos valores se logra una percepción más adecuada del mundo circundante para comprenderlo, adaptarlo y modificarlo. Su desarrollo conlleva la simultánea creación de hábitos de trabajo que ayuden al desarrollo científico y a la capacidad de comunicación.

Valores estéticos

(Bello/feo; elegante/inelegante; armonioso/caótico). Sentido del arte, de la armonía y del equilibrio, de los valores culturales; captación, creación y expresión de la belleza con técnicas, hábitos, destrezas y recursos expresivos.

Ante una frase tal como «es feo dormirse en un concierto», decimos: «mejor sería no dormirse, pero si alguien se duerme no resulta tan dramático». En cambio, ante la expresión «nadie debería adular a otros por conveniencia y menos aún si está dispuesto a denigrarnos en cuanto le convenga», no respondemos tranquilamente: «mejor sería que no nos denigrase, pero si alguien nos denigra no resulta tan dramático». La verdad es que sí es dramático, tanto por el daño que hace al denigrado, como porque rebaja la dignidad personal.

Valores morales

(Justicia/injusticia; libertad/esclavitud; igualdad/desigualdad; honestidad/deshonestidad; solidaridad/falta de solidaridad). Defensa de la vida, dignidad y moderación en palabras y acciones, responsabilidad en el trabajo, integridad en la búsqueda de la verdad, coherencia, congruencia, franqueza, prudencia, flexibilidad y tolerancia dentro de límites razonables, justicia, equidad, promoción de los derechos humanos, altruismo, hábitos buenos (virtudes). Si alguien nos dijera: «yo no soy justo porque no quiero, ya que ése es un valor que no aprecio, pues no me gusta para mi carácter», no podríamos replicar: «ah, bueno, perfecto», sino que le daríamos a entender implícita o explícitamente que quien rechaza el valor «justicia» pierde humanidad.

Valores religiosos

(Sagrado/profano). Se revelan en objetos que nos son dados como absolutos. El valor de lo divino constituiría la asíntota suprema de todos los valores de santidad.

Ésta es la escala, pero al hambriento no se le puede decir que sienta la misma urgencia por una sonata de Brahms que por un plato de arroz. De todos modos, la fuerza no debería anular la altura de los valores, y la auténtica moralidad ha de construirse de abajo arriba.

INTERACCIÓN DE LOS VALORES

Nunca se insistirá bastante en la interactividad de los valores. De valores y virtudes podría decirse: todos para uno, uno para todos.

Cada una de las virtudes es distinta de las demás, pero se les nota su condición de hermanas de unos mismos padres, hermanas tan bien avenidas como inseparables, pues de alguna manera todas las virtudes van juntas, y por eso afirmaba Francisco de Asís que quien posee una virtud posee todas y a quien le falta una todas le faltan, cosa que ratificó por su parte San Gregorio al asegurar que la prudencia no es verdadera si no es justa; ni es perfecta la templanza si no es fuerte, justa y prudente; ni es íntegra la fortaleza si no es prudente, templada y justa; ni es verdadera la justicia si no es prudente, fuerte y templada. Las virtudes son como los vasos comunicantes, pues no podemos crecer en uno de esos vasos sin trasvasar su riqueza a los demás: si realizo esfuerzos por crecer en laboriosidad, automáticamente voy a ser una persona más responsable, perseverante y ordenada. El esfuerzo por ser sinceros nos hace justos, alegres, prudentes, serenos, etcétera.

CRITERIOS DE DIGNIDAD AXIOLÓGICA

Max Scheler propone cinco criterios para discernir la altura o la dignidad de los valores:

Duración del valor

Preferible es siempre lo eterno a lo contingente. Los valores más elevados piden eternidad; sería contradictorio decir: «te amo ahora, pero sólo por un cierto tiempo».

Un problema es que a veces tomamos lo eterno por contingente, o a la inversa. Otro problema es que, si a los conservadores toda novedad axiológica les parece disvaliosa, a los progresistas todo lo nuevo se les antoja lo mejor por el hecho de ser lo último.

Indivisibilidad del valor

Preferible es lo que se toma entero: la libertad es indivisible. No se puede dar a nadie un pedazo de una obra de arte. Los valores materiales, inferiores, sí son divisibles.

Fundamentación del valor

Preferible es lo fundante, a lo fundado: lo agradable se apoya en lo vital que lo funda. Un valor es tanto más fundante o más alto cuanto menos necesita referirse a otros; el valor más alto sería el absoluto.

Profundidad de la satisfacción

El valor más alto produce una satisfacción más profunda. El dominado por los valores económicos a costa de los demás se sitúa en el nivel de las satisfacciones más superficiales.

La jerarquía del valor no consiste en la satisfacción que produce. La simpatía hace la vida agradable, pero un canalla puede ser simpatiquísimo y tratar a sus víctimas con toda amabilidad mientras las explota. Más vale un simpático que un antipático, pero si no se es simpático no pasa nada; en cambio, las personas no deberían ser canallas, pues el encanallamiento las inhumaniza a ellas y a los demás. Satisfacción no es sinónimo de placer, si bien éste puede ser consecuencia de la satisfacción. Sólo cuando nos sentimos satisfechos en los planos profundos de nuestra vida gozamos las ingenuas alegrías superficiales, como una fiesta o un paseo; quizá no siempre a la inversa, a pesar de las apariencias: cuando la insatisfacción domina lo central de nuestra vida, vivimos irrealizados aunque saciados de valores inferiores.

La profundidad no excluye aumento de dolor, aunque no necesariamente lo incluya. A veces las personas buenas experimentan dificultades para gozar en medio de un mundo donde muchas cosas son sucias, feas, injustas. Aun así podemos hallar instantes de sentido que nos recuerden que debemos seguir adelante. A ello ayuda la vivencia de los valores superiores.

Objetividad

Los valores objetivos más altos son los menos relativos. Hay quien siente la atracción de la afirmación destructiva, quien goza destruyendo la objetividad por resentimiento contra el valor, quien niega por negar sintiendo que así se afirma. Son personalidades resentidas con lo objetivo ajeno y autoenfatizadoras. En ellas predomina el instinto de muerte, pues a quien desagrada la alteridad pasa sus días en alteración.

Interactividad

Los valores están entrelazados, guardan una armonía sinérgica. Quien vincula lo económico a lo ético siente no sólo la satisfacción de las necesidades materiales cumplidas, sino también la más íntima del cumplimiento del deber.

CRITERIOS PRUDENCIALES EN LA CAPTACIÓN DE VALORES

El valor no sólo plantea conflictos entre un valor positivo y otro negativo, sino también entre dos positivos (amor y justicia, por ejemplo) y entonces hay que saber elegir entre los valores que interfieren.

Urgencia temporal

Cabe postergar o sublimar, pero no negar los valores más altos en favor de los más urgentes.

Cantidad

En caso de igualdad, será preferible lo que realice más cantidad de valor.

Probabilidad de éxito

En caso de igualdad, será preferible lo que realice más probabilidad de valor.

Seguridad

El valor seguro es mejor que el valor meramente probable.

Plenitud

Axiológicamente, humanidad es más que pueblo, pueblo más que familia, familia más que individuo. Comparemos desde la perspectiva de la no-plenitud las cuatro situaciones siguientes:

- Impedir matricularse en la universidad a un negro.
- Dar una paliza a alguien.
- Negar el saludo a alguien porque es negro.
- Asesinar a alguien.

La primera y la tercera son situaciones de violencia moral; la segunda y la cuarta son más graves, porque implican violencia física, y por ende más antivalores. Dentro de la violencia moral, la primera es más grave que la tercera. En la violencia física, la cuarta es peor que la segunda, la peor de todas.

Variante: en cierta universidad se permite matricularse a los negros y hasta se alardea de ello, pero en la práctica se sabe que los alumnos blancos mayoritarios golpean a los negros porque las autoridades académicas se inhiben hipócritamente al respecto.

Sólo un ejemplo más: la ingratitud de quien recibió un favor de gran valor resulta más indignante que el incumplimiento del pago en justicia de una modesta cantidad de dinero, pero de ahí no debe concluirse que la gratitud sea prioritaria respecto de la justicia.

Proximidad al yo

Axiológicamente, familia es más que pueblo, pueblo más que humanidad.

Urgencia

Prioridad moral con el anciano, el enfermo, el niño, etcétera.

Resonancia

El que más puede, más debe cooperar al bien común.

VALORES Y DERECHO

Evolución de nuestra percepción de los valores

Desde luego, existe una evolución en el contenido de los valores, pero una evolución que implica progreso en el modo de percibirlos. No sólo hay un «cambio» cuando se pasa de la esclavitud a la libertad, sino un cambio que es además «progreso» de los valores. Las sociedades pueden aprender no sólo técnica o tecnológicamente, sino también moralmente, aunque no estén todavía a la altura debida y por desgracia conculquen gravísimamente –como siguen haciéndolo– casi todo lo que predican.

Nunca hubo una Edad de Oro de la moralidad, sino que el nivel de conciencia moral avanza. Hoy podemos entender la existencia de esclavos en tiempos pasados, pero a estas alturas nos parecería incomprensible la vuelta atrás, pues esto supondría un retroceso de todo punto inaceptable. Ciertamente, nos han llegado noticias de personajes de otros tiempos con los que sintonizamos perfectamente, mejor que con el resto de su época.

LA *DECLARACIÓN UNIVERSAL DE LOS DERECHOS HUMANOS*

En esa evolución universal de los principios morales válidos para toda la humanidad y para cada persona, desde donde puedan ponerse en cuestión aquellas normas y actos de quienes los conculquen, se han ido elaborando los Derechos Humanos. Tras el cese de la Segunda Guerra Mundial se promulgó en 1948 la *Declaración Universal de los Derechos Humanos*, prerrogativas que afectan a toda persona humana por el mero hecho de serlo, independientemente de circunstancias de tiempo, lugar, cultura, raza, sexo, religión, etc. Tales derechos no parten tanto de la realidad de lo que hoy se da, sino de lo que debería darse teniendo en cuenta el ideal de la persona humana. Tienen, por tanto, una irrenunciable aspiración ética, base de la realidad jurídica actual, y por ello se imponen como principio regulador de los diversos elementos que conforman el orden social y estatal.

Son derechos subjetivos, en cuanto que se refieren al sujeto humano, pero al mismo tiempo son universales, imprescriptibles, inalienables, irrenunciables. Tales exigencias ideales, que orientan hacia la realización más plena de la persona humana, en cuanto tales son previas a la sociedad, pero su toma de conciencia y el proceso de determinación de sus significados concretos son históricos y sociales, pues sus concreciones van mudando con el cambio de las necesidades humanas a lo largo de la historia; son, por tanto, a la vez ideales de suyo e históricas para nosotros.

Hoy distinguimos tres generaciones al respecto.

Derechos humanos de la primera generación

Se trata de las libertades civiles o «libertades de...» (libertad de conciencia, de expresión, de prensa, de asociación, de iniciativa económica, de libre circulación dentro y fuera de un país, etc.) y de «libertades políticas» (libertad de participar en el poder político de la comunidad en que se vive, ya sea directamente o a través de representantes).

Estos derechos expresan valores de libertad.

Derechos humanos de la segunda generación

Se agrupan bajo la expresión «libertades respecto de...» o «libertades de liberación» (liberación del hambre, de la necesidad, de la ignorancia, de la enfermedad, que sólo pueden lograrse al satisfacer el derecho a la asistencia sanitaria, a la educación, a un medio de vida digna, a una cierta seguridad en casos de enfermedad, desempleo o vejez). Estos derechos expresan valores de igualdad.

Derechos humanos de tercera generación

Exigen aún más que los restantes; la solidaridad internacional es un ejemplo (derecho a la paz y a un medio ambiente sano). Estos derechos son valores de solidaridad. De ejercerse, convertirían a las personas en ciudadanos del propio país y a la vez del mundo, y permitirían encarnar en sociedad los valores de libertad, igualdad y solidaridad. Estos derechos expresan valores de diálogo.

NO MÁS DEBERES SIN DERECHOS, NO MÁS DERECHOS SIN DEBERES

Los apologetas de los derechos humanos suelen tender a fosilizarlos tratándolos a modo de herencia ya ganada para siempre, olvidando que los verdaderos derechos humanos surgen de los creadores de humanidad y que sólo por ellos se mantienen. Si en el mundo civilizado el criminal está protegido por el mismo derecho que ha conculcado, no es porque nadie se lo deba, sino tan sólo por la generosidad de los que permanecen en la órbita ética manteniéndola en vuelo, dispuestos a afirmar la dignidad de todos los miembros de la especie humana, aunque los defensores resulten perjudicados al hacerlo, y los ofensores no lo merezcan por su comportamiento.

Éste es el gran salto ético, el triunfo de la magnanimidad creadora: los seres humanos, dotados de una inteligencia que les permite comprobar lo cerca y lo lejos que están de sus parientes animales, pertenecen a una especie llena de dignidad. Quienes realizan ese proyecto son verdaderos creadores: permiten que exista algo que antes de ellos no existía. Gracias al ser humano ha aparecido en el universo una flor rara y vulnerable: el derecho.

Pero como todos los proyectos creadores, éste también tiene que atenerse a determinadas constricciones. Es imposible construir sin comprobar la consistencia del terreno, escribir sin reglas sintácticas, lanzar aviones sin combustible, construir puentes sin conocer la resistencia de los materiales. Ahí aparecen los deberes. Son el envés de los derechos. Son las torres y los cables de los que cuelga el puente y que permiten al puente su vuelo suspendido.

Todos los derechos se mantienen gracias a la cooperación ajena. Y conviene recordar esto al hablar de derechos fundamentales. Si los consideramos realidades preexistentes, consistentes y persistentes, y no proyectos a realizar, nos tiranizarán lógicas degradadas. Por ejemplo, tendremos la impresión de que podemos mantenernos al margen de los derechos y seguir protegidos por ellos.

Esto es confundir la legalidad física con la legalidad moral. Las leyes físicas no necesitan nuestro concurso para funcionar. Mi asentimiento no les importa. Los derechos no tienen una existencia independiente en no se sabe qué brillantísimo mundo platónico: son una insegura tienda de campaña que protege a los hombres sólo mientras alguien sostiene las lonas levantadas. Los derechos, como los aviones, sólo se mantienen en vuelo mientras el motor del propio avión continúa funcionando.

Cuando se reclaman los derechos humanos como realidad ya conquistada para siempre, hay que tener mucho cuidado: si son conquistas es porque hay conquistadores generosos que las regalan, pero ¡cuidado con dormirse! La humanidad no gana nada que no continúe defendiendo y perfeccionando. Los excelentes no se contentan con guardar para sí su excelencia. Generosos, dominadores, su camino es más rico: primero, regalan los derechos a quienes no los merecen; después, les enseñan a amar esos derechos, a apreciarlos; finalmente, a ganarlos y a defenderlos para otros. Es la tarea y el gozo de los mejores educadores, padres y maestros: ¿hay quien dé más?

No más derechos, pues, sin deberes; no más deberes sin derechos. Los derechos humanos son también un deber de los humanos. Como humano, tengo el deber de trabajar por los derechos humanos para luego disfrutarlos; como inhumano, sólo me quedaría el placer de disfrutarlos sin haberlos defendido. Elige, pues, entre vivir como humano humanizando o disfrutar como inhumano. No siendo, pues, suficiente con el discurso de los derechos, es preciso impulsar el discurso complementario de los deberes, porque los unos no son posibles sin los otros. Sería bueno, por tanto, vivir bajo la perspectiva axiológica de una *Declaración de los Deberes del Hombre*, que los mejores llevarían impresa en su corazón.

Ánimo, padres y maestros. Nosotros no deseamos tan sólo enseñar a ser felices, sino a serlo siendo dignos, aunque para ello haya que arriesgarse en favor de quienes no lo merecen, dignificando al indigno: en eso consiste la verdadera democracia moral, que no pregunta ante todo «¿qué debo hacer?», sino «¿por qué lo debo hacer?»

Llegado este momento, los buenos educadores se preguntan: ¿no estaremos nosotros hoy en esta hermosa posición porque alguien antes arriesgó por nosotros y en nuestro favor, sin que nosotros mismos lo mereciésemos, y sin que lo supiésemos?

LA PERSONA, SUJETO DEL VALOR

He ahí los valores. Pero los valores no valdrían si su portador y agente no valiese. Valen los valores porque la persona es sujeto valioso, sujeto de valor absoluto.

La persona es sujeto de valor absoluto y no debe ser tratada como instrumento, quedando su dignidad más allá de cualquier forma de relativismo. Kant distingue entre dos tipos de seres: aquellos que tienen valor en sí mismos, que valen por sí mismos, y aquellos que, por el contrario, sólo valen para otra cosa, distinta de ellos mismos. Un martillo, que es útil para clavar un clavo, pierde su utilidad cuando se rompe. Entonces su precio baja o cae totalmente. Sin embargo, una persona humana es valiosa en sí misma, tiene valor siempre, y por eso no tiene precio, sino dignidad: ni se compra ni se vende. Es sujeto, nunca objeto, nadie está legitimado para causarle ningún daño físico o moral. En consecuencia, no cabe reducirla a la condición de instrumento.

Todos los valores son valores personales y comunitarios, por lo que deberíamos de tratar al prójimo con los mismos valores con que nos gustaría que nos tratasen a nosotros mismos. Si tratamos a alguien como es, seguirá siendo como es; si lo tratamos como podría ser, se convertirá en lo que debe ser.

Cualquier persona al margen de esos valores está falta de humanidad, por eso estamos dispuestos a defenderlos y universalizarlos para toda la humanidad, sin excepción. No es que un servil o un hipócrita dejen de ser personas, sino que han renunciado al proyecto de humanidad que los seres humanos hemos ido descubriendo a través de siglos de historia. Por tanto, la conducta adecuada con respecto a los valores positivos sería:

* Respetarlos, allí donde ya estén incorporados.
* Defenderlos en aquellas situaciones en que no sean respetados.
* Tratar de encarnarlos en aquellos lugares en que no se encuentran o donde dominen los valores negativos.
* Luchar contra nuestra propia torpeza, contra nuestras faltas, contra nuestros antivalores.
* Dejarnos corregir, y dar las gracias a quienes nos enseñan a ser mejores. La mayor torpeza es no ver el propio disvalor y además enfadarnos con quien nos corrige por nuestro bien. Para que no sea así, vamos a señalar en el siguiente capítulo algunos errores frecuentes al respecto, de los que ningún padre o maestro está vacunado de antemano, aunque se crea a salvo. Si ahora se señalan no es para amargar buenas digestiones, sino para poder predicar con el ejemplo.

Capítulo 4

Enseñar valores,
no imponer valores

NO ESTAMOS POR ENCIMA DE NADIE, TODOS TENEMOS LIMITACIONES

Por deformación profesional inevitable, el padre y el maestro solemos incluirnos en la siguiente peligrosa burbuja narcisista. Cuidado con ella:

- Soy tranquilo e imperturbable. Siempre estoy sereno. Nunca pierdo la compostura. Nunca demuestro emociones fuertes. Estoy por encima del bien y del mal.
- Carezco de preferencias y de prejuicios. Todos mis hijos (o alumnos) son iguales ante mis ojos. No tengo favoritos.
- Puedo esconder y escondo con facilidad mis verdaderos sentimientos.
- Promuevo un ambiente estimulante, libre, tranquilo y ordenado a la vez.
- Soy constante, nunca (des)varío ni demuestro parcialidad, no olvido nada, ni me siento bien ni mal. Nunca cometo errores importantes.
- En el fondo soy más sabio, o más bueno, que los demás mortales.
- De antemano, sé todas las respuestas.
- Apoyo a todos, sin importar los sentimientos, valores o convicciones personales.

TAMBIÉN NOSOTROS LO HACEMOS MAL A VECES, PERO QUEREMOS ACTUAR CADA VEZ MEJOR

He aquí una o mucha de las piedras con que tropezamos. Con la ayuda de este libro vamos a levantarnos cada vez que así ocurra.

Desoír

Les propongo un juego que se llama «diálogo de sordos». Pregúntense si son buenos oyentes y si les parece que los demás los escuchan bastante. La finalidad es aprender a escuchar. Más de una vez habrán visto que dos personas hablan y hablan entre sí, pero no se escuchan, no atienden las razones ajenas porque cada cual piensa única y exclusivamente en lo propio.

Evite replicar antes de que el otro termine de hablar. Mientras el otro habla, escúchelo; no esté pensando en lo que usted le contestará.

Permítanme que les presente otra variante: el juego «hablar de oídas». Cinco voluntarios saldrán del salón. Yo leeré al grupo un breve relato. Después haré entrar a uno de los voluntarios, y uno de ustedes le contará lo que me ha escuchado decir. Llamaré a un segundo voluntario, que escuchará el cuento de quien lo ha precedido. Y así hasta que los cinco hayan escuchado el cuento. Veremos qué narración relata el último: ¿se parecerá a la primera?

¿No nos ocurre muchas veces a nosotros que prestamos oídos a lo que nunca debiéramos haber dado audiencia?

Fingir, instrumentalizar

Sólo buscamos sonsacar, disimular, fingir, un vedadero simulacro siempre desde el plano superior.

No mecanicemos nuestra forma de ser, ni siquiera repartiendo por doquier elogios, pues los demás se dan cuenta de ello, si no son demasiado autoindulgentes («él me alaba para que trabaje más, no porque valore el esfuerzo que estoy haciendo»).

No compadezcamos, no relativicemos el problema de alguien sin escucharlo: podría entenderse como que no se le quiere comprender. Muchas formas de tranquilizar presuponen que la persona inquieta exagera.

Histerizar

A veces nos desquiciamos. Primero somos severos con amenazas y castigos; si fracasan, nos volvemos amables; al no conseguir nada, razonamos; finalmente, al sentirnos ridículos, volvemos al punto de partida.

De un giro a otro, para que nada falte, podemos volvernos chantajistas («me matas con tu proceder»).

Imponer

Nos aferramos autoritariamente al «principio de autoridad». Somos duros, impositivos y agresivos para convencer al otro de la propia supremacía. Ponemos en duda, interrogamos inquisitorialmente: «dime, ¿con quién te juntas?» La respuesta de la persona interpelada podría ser del mismo signo, pero a la defensiva: «¿para qué quieres saberlo?» ¡Ordenamos y mandamos tanto! «No me importa si tienes sed o no; siéntate.» El hecho de que hayamos callado a alguien no implica que lo hayamos convencido. Mas, ¿para qué vencer sin con-vencer? Cuando con-vencemos, vencemos conjuntamente, la victoria se comparte, es un verdadero éxito.

Cuando el otro acepta la imposición a que lo sometemos, termina sintiéndose inferior, algo que nunca deberíamos permitir. Las personas con sentimientos de insuficiencia personal necesitan depender de otras, sin las cuales ya no saben actuar ni dar un solo paso. La inseguridad emocional es propia de la persona dependiente, en cierto modo similar a un niño precisado de tutela, que delega en otros los esfuerzos que lo volverían más adulto y fuerte.

Coaccionar

Amenazamos e intentamos culpa(biliza)r al otro, amedrentarlo, hacerle sentir temor. Gritar, sacar de quicio, enfurecerse, etc., sólo logra resultados contrarios. No da resultado. No gritemos. Los altavoces refuerzan la voz, pero no los argumentos. En lugar de gritar más, tratemos de mejorar la calidad de estos últimos: convencen más. No nos enfurezcamos, no amenacemos. («¡Como tú eres el que manda, tú tienes derecho a hacer lo que te da la gana, así que ni modo!» «¡Niña consentida, haz lo que quieras y ya déjame en paz!») No agredamos. («¡Papá, déjame en paz, ya soy mayor y hago lo que me da la gana!» «¡Oye, mocosa, cállate de una vez o vas a saber lo que es bueno!»)

Encizañar

¡Mucho cuidado con las comparaciones, que son odiosas, y lo son porque producen odio! No comparemos para denigrar a *A* a costa de *B*. Casi toda nuestra infelicidad procede de compararnos con los demás, cosa que resulta tan inútil como bañar a un pez.

En lugar de comparar, fomentemos los premios comunitarios, siempre sin humillación, con mucho cuidado, sin prescindir del premio que estimula, pero sin premiar suscitando envidia. Un niño que siente que sólo es querido cuando sale airoso de las comparaciones, siempre tendrá problemas al relacionarse con los demás. Cuando a un niño se le quiere incondicionalmente, desde su propia situación, sin necesidad de compararlo, se hace posible la superación de sus rezagos. Aceptar la parte oscura o débil de cada uno (incluida la propia) no significa alentar el defecto, sino corregirlo desde la reconciliación de lo que somos.

No utilicemos tampoco la *ley del embudo*, o sea, la razón estrecha para los demás y la razón ancha para nosotros. Por ejemplo:

–¿Cómo está tu hija?

–¿Mi hija? ¡No sabes la suerte que ha tenido! Se casó con un hombre maravilloso que le regaló un coche, le compra todas las joyas que quiere y puso muchos sirvientes a su servicio. Incluso le lleva el desayuno a la cama y le permite levantarse a la hora que quiera. ¡Un verdadero encanto de hombre!

–¿Y tu hijo?

–Ése es otro cantar. ¡Menuda lagarta le ha caído en suerte! El pobre le regaló un coche, la cubrió de joyas y ha puesto a su servicio no sé a cuántos criados... ¡Y ella se queda en la cama hasta el mediodía! ¡Ni siquiera se levanta para prepararle el desayuno!

Regañar, regañar, regañar.
Sermonear, sermonear, sermonear

El regaño suele darse cuando uno está enojado y en esos momentos se tiende a exagerar el mensaje y a lastimar. Quien sólo sabe machacar, convierte todo en martillo.

No fomentemos las quejas permanentes. Regañar, regañar, regañar, regañar... Exigir no es sermonear. No moralicemos, no estemos siempre con el «deberías» o el «debes» en la boca, y menos con esa palabra en el corazón. Nuestros niños no sacan provecho de los sermones que les dirigimos. Cada día se pierde demasiado tiempo en lamentar una y otra vez el mal comportamiento ajeno. No permanezcamos en la celda de la hostilidad. Si hablar de esto con alguien no calma nuestro enfado constante, visitemos a un terapeuta: somos una bomba de tiempo.

Centrémonos en lo positivo. Las quejas encaminadas a que el niño actúe mejor, las peticiones de que haga o deje de hacer algo para que todo salga mejor, son buenas. Pero servirse de los regaños para lograr esos fines resulta contraproducente. Regañar siempre, sermonear continuamente, ¿a qué conduce? A que los niños aprendan a no escuchar, a que por un oído les entre y por otro les salga. Un niño regañado con frecuencia se volverá insensible al regaño, y aceptará que su problema no tiene solución, ya que pase lo que pase todo le saldrá mal, con lo que inhibiremos su voluntad de rectificación y de mejora. El regañado se sentirá tont(ísim)o, (super)inútil, mal(ísim)o, según la variada gama con que se le haya estigmatizado, y perderá su autoestima. Sin ella, no cabe mejora.

Mandar el mensaje, sí; con regaño, no. Incentivando y animando, sí; desalentando y empeorando, no. En lugar de «dar una conferencia», dar ejemplo de lo que se quiere promover, de lo que se pretende que el niño aprenda; y es mejor establecer reglas y límites a su conducta.

Evitemos sermonear. Los discursos largos cansan, aburren a los niños. En vez de sermonear, haga preguntas que le ayuden a llegar a la conclusión deseada.

Para no andar regañando de mala manera sería recomendable:

- Calmarse antes de hablar.
- Analizar el cómo, el cuándo y el dónde vamos a decir el mensaje.
- Evaluar el costo o el beneficio del mensaje que pretendemos enviar (para que el remedio no sea peor que la enfermedad).
- Prevenir: «si comes tantas frituras, te dolerá el estómago y tendrás que tomar medicinas». De esta forma el niño aprenderá que la acción tiene consecuencias, y le servirá para hacerse más responsable.
- Proponer mejorar cuando se haya hecho mal. Al niño pequeño enseñarle a forrar y decorar una lata vacía (colaborar con él, si no sabe), para que juntos introduzcan ahí un frijol cada vez que algún miembro de la familia regañe mal; conversen luego cómo podrían mejorar en adelante. Pongan el frijol a germinar para que infieran que, así como de él nace un nuevo frijolito, de un error pueden surgir muchos beneficios si aprendemos a mejorar sin regañar.
- Pedir perdón, manifestando a la vez la fuerza del cariño incondicional.

Atacar, criticar destructivamente, burlarse, herir

Demasiadas veces criticamos las acciones de los niños y de las niñas que se encuentran bajo nuestro «cuidado», e incluso acentuamos las fallas hasta llegar a insultar: todo eso es herir. «Ese color se te ve muy mal», «tu cabello parece una coliflor», «eres un imbécil», «date prisa, que parece que no tienes sangre».

Hay también ataques sin palabras, a los que el niño (también sin palabras) replica haciendo lo prohibido: deja caer las cosas, ensucia el suelo, etcétera.

Tales actitudes se trasmiten de generación en generación y de esta manera el niño criticado pasará a ser un padre condenador.

En esta lucha nadie gana, aunque aparentemente triunfe el más agresivo, el menos educado, el más altanero o el más ágil para el contraataque. No avergoncemos, no ridiculicemos, no actuemos con sarcasmo, no acentuemos los defectos, no pongamos apodos («¡qué vergüenza!», «¿no te sientes avergonzado?», «¡te portas como un niño!») No más de esto, por favor.

Ignorar

La indiferencia es un silencio que hiere al adulto y al niño. El distanciamiento hace que el niño se sienta no querido: «no me prestan atención; no me quieren». A ciertas edades (en realidad ¡nunca!) no se es capaz de comprender que la desatención momentánea no es señal de no merecer nada. Al menos, manifieste al niño que, aunque a veces no tengamos ganas de hablar, eso no quiere decir que sea por falta de cariño o de interés, ni porque esté enfadado con él.

Cuando el niño cometa alguna acción que no sea de nuestro agrado, lo mejor será hablar con él, en lugar de aplicarle la «ley de hielo».

¿Cuántos momentos o encuentros «de calidad» hemos tenido últimamente como pareja, como padre o madre, como docentes, con nuestros niños? ¿Procura liberar para ellos al menos un tiempo de encuentro personal?

¡ALERTA!

Es necesario estar muy alerta para no emitir juicios negativos sin fundamento, y menos aún para burlarnos de otras personas. Anotemos al respecto algunas de las expresiones condenatorias más frecuentemente usadas por nosotros y tratemos de transformarlas eliminando todos los elementos de juicio negativo.

Es necesario recordar que, cuando el adulto es juez, el niño se retrae y no comparte sus sentimientos.

Es necesario recordar que antes de criticar debemos ofrecer unas palabras de elogio y de reconocimiento.

Es necesario recordar que conviene tomar las críticas constructivamente cuando sean propositivas, y aprender a desecharlas cuando sean destructivas. Estas últimas no tendrán un poder sobre nosotros, si no se lo concedemos; y no tenemos por qué hacerlo.

Es necesario recordar que existe siempre un momento propicio para decir a quienes nos menosprecian que no nos hablen tan desconsideradamente. Digámosles que, si deciden hablarnos con respeto, y sólo si deciden hablarnos con respeto, estaremos dispuestos a escucharlos gustosamente; de lo contrario, ignorémoslos, pidamos ayuda o cambiemos de tema.

Es necesario recordar que la opinión de alguien sobre nosotros no afecta nuestro valor como seres humanos. Toda persona tiene valor absoluto, aunque haga cosas malas. Por eso podremos cambiar los aspectos negativos y seguir siendo personas.

Es necesario recordar que el otro necesita saber que no desesperamos de él: si, por alguna razón, un niño es incapaz de ver el futuro con optimismo, se produce una interrupción inmediata del desarrollo. El ejemplo más grave lo encontramos en el caso de los niños que sufren autismo infantil, consecuencia de su completa incapacidad para imaginar mejora alguna. Una niña, tras un periodo prolongado de terapia, surgió finalmente de su total autismo y expresó lo que según ella caracterizaba a los padres buenos: «esperan algo de ti». Esto implicaba que sus padres se habían portado mal porque ninguno de ellos había sido capaz de tener esperanza ni de trasmitírsela a ella en cuanto a sí misma y a su vida futura en este mundo.

Todo padre que se preocupe por el estado de ánimo de su hijo sabrá decirle que las cosas cambiarán y que algún día todo irá mejor.

Es necesario recordar que no hay que preocuparse demasiado por lo que otros piensen de nosotros. Ellos están demasiado preocupados pensando en lo que nosotros pensamos de ellos.

PARA TRANSFORMAR LO MALO EN BUENO

No debemos comportarnos como esos perros que se lanzan contra los coches ladrando, sin darse cuenta de que, lejos de hacer daño al vehículo, pueden salir maltrechos. Evitemos hacer comentarios humillantes. Nunca critiquemos al niño («eres un desastre»), sino su comportamiento («te estás comportando mal»). No «eres», sino «estás». Si le dices «eres» seguirá «siéndolo» siempre; si le dices «estás», podrá cambiar algún día. Una vez asumida la voz exterior de los adultos, la voz interior del niño lanza contra sí mismo mensajes negativos («¡soy un imbécil! ¡No sirvo para nada!»); su confianza en sí mismo puede caer en picada.

Las frases siguientes son nocivas:

Frases de adulto a niño	*Efecto*
–Eres un flojo.	Pereza
–Siempre deseas molestar.	Reiteración de la molestia
–Estoy harto de ti.	Desamor
–Me matas a disgustos.	Hostilidad
–Eres un mentiroso.	Reiteración de la mentira
–Ya no te quiero.	Desamparo
–Aprende de tu hermano.	Celos
–Cada día te portas peor.	Reiteración de la conducta
–Lo sabrá papá cuando venga.	Miedo
–Nunca aprenderás.	Desánimo
–No sabes estarte quieto.	Reiteración del desasosiego
–Apártate de mi vista.	Desconsuelo
–No te va a querer nadie.	Desarraigo

....

Algunos ejemplos:

Negativo: –Niño latoso, ya tómate la leche.
Positivo: –Toma tu leche, estás creciendo y eso te ayuda a tener dientes sanos. Enséñame los dientes, por favor. ¡Qué lindos!

Negativo: –¿Por qué estás enfadada, mami?
–¡Por nada! –dices mientras le lanzas una mirada furibunda.
Positivo: –¿Por qué estás enfadada, mami?
–Porque has ensuciado tu recámara, pero vamos, ayúdame a limpiarla.

Negativo: –¿Cómo dijiste?, ¿que no encuentras los pazatos? Ja, ja, ja.
Positivo: –¿No encuentras los za-pa-tos? ¡Vamos a buscar tú y yo los za-pa-tos!

Negativo: –Tu primo Antonio ya lee y tú no. Tienes que leer todas las tardes para que le alcances.
Positivo: –Sigue así, pronto vas a poder leer; practiquemos ahora un ratito.

Negativo: –¡Recoge tus cosas! ¡Eres un desconsiderado y un desobediente!
Positivo: –Últimamente no recoges tu ropa. A partir de hoy vas a hacerlo antes de salir de tu cuarto, porque tú te mereces un cuarto aseado.

Negativo: –Papá, yo soy tonto, no sirvo para las matemáticas.
Positivo: –No te digas tonto por no haberlo hecho perfecto; todo el mundo puede aprender y no tienes que hablar mal de ti mismo. Vamos a ver, qué es eso que te parece tan difícil.

Negativo: –¿Que ya sabes dar maromas? Eso no tiene chiste, hasta el más tonto lo hace.
Positivo: –¡Te felicito, a mí me costó mucho aprenderlo! ¡Qué bueno que te guste aprender!

Negativo: –Así no se hace ese dibujo; quítate, yo te lo haré.
Positivo: –Si necesitas ayuda, avísame y lo haremos entre los dos.

EVITEMOS LOS «MENSAJES-TÚ»

«Mensajes-tú» no, gracias

En la grosería y en los malos modos siempre se oculta un débil y un cobarde. Decir lo que pensamos ofrece un tema de conversación más amplio que recitar lo que sabemos; sin embargo, lo malo de decir lo que uno siente es que muchas veces lamenta haberlo dicho.

Son «mensajes-tú» aquellos en los que manifiesto a la otra persona lo que ella tiene que hacer, produciendo de ese modo nuevos conflictos sobre los ya existentes: «deja de molestarme», «eso no se hace», «así no vas a llegar a ninguna parte», «no tienes ni idea», «contigo no se puede hablar», «no chilles más, que me molestas muchísimo y no puedo leer».

Insisto: no condenemos a la persona: «eres malo», «tienes la culpa de todo».

No juzguemos intenciones («haces eso para llamar la atención»), sino conductas.

No nos digamos a nosotros mismos: «es un imbécil; nunca está de acuerdo con lo que digo»; «para demostrar que no le entiendo, lo desprecio».

El resultado de los mensajes de esta naturaleza es que:

• Dado mi enojo o agresividad, no soy capaz de demostrarte mis verdaderos sentimientos.
• No será fácil hacerte cambiar de comportamiento si no te hago saber las consecuencias que tiene en mí ese comportamiento tuyo.
• Te causaré un escozor innecesario.

¡Cuenten conmigo, por favor!

En la relación interpersonal adecuada nos reconocemos y respetamos recíprocamente los niños y los adultos. Obviamente, el primer ejemplo de capacidad dialógica y de respeto debe partir de los adultos. Cuando eso falla, entonces los adolescentes se dicen a sí mismos: ellos mandan, pero yo soy una persona, por tanto:

- Que me orienten y aconsejen, pero que cuenten conmigo, que me dejen opinar, que no decidan por mí sin escucharme.
- Que me orienten y aconsejen, pero que no me impongan una determinada carrera, profesión o estudio sólo porque a ellos les gusta.
- Que me orienten y aconsejen, pero que no me impongan los amigos y amigas que debo elegir.
- Que me orienten y aconsejen, pero que no me impongan la ropa de vestir, las aficiones o los pasatiempo.

Para todo eso hay que prepararse a fondo, pues la mera buena voluntad es tan necesaria como insuficiente.

SOY MÁS GRANDE QUE MIS FRACASOS DIALÓGICOS

Las personas maduras saben que las contrariedades son algo habitual en nuestra vida; las dificultades, un patrimonio común. En ellas se encuentra la verdadera prueba de nuestra asertividad. Lo que para los débiles es una barrera insuperable, para la gente asertiva representa un desafío, un estímulo que le mete bríos y acaba por llevarla a la grandeza del espíritu y de las obras. La vida sólo adquiere forma y figura con los martillazos que el destino le da cuando el sufrimiento la pone al rojo vivo. Por eso la hora de la prueba es la hora de la verdad.

Soy más grande cuando doy yo mismo el primer paso para solucionar el conflicto y pedir disculpas

Nos hemos equivocado, pidámosle disculpas:

> Vamos a ver, hombre;
> cuéntame lo que me pasa,
> que yo, aunque grito,
> estoy siempre a tus órdenes.

CÉSAR VALLEJO

Asumiremos nuestra responsabilidad en los conflictos sin que eso menoscabe o deteriore nuestra imagen; al contrario, ya que nadie es infalible ni perfecto. Por fortuna, son incontables los momentos en que podemos suavizar las aristas de nuestra conducta, aprender, mejorar, humanizar nuestra existencia. El equilibrio personal exige la transformación del individuo para adaptarse. La persona equilibrada y ecuánime se afana por ser objetiva y desapasionada en sus apreciaciones y juicios. Con ecuanimidad el luchador superior triunfa sin violencia, el conquistador más grande vence sin combate, el director más eficaz dirige sin imponer, el educador enseña sin gritar.

Asumir nuestra propia responsabilidad es la mejor estrategia; por el contrario, la peor y la más inconducente e insostenible a la larga, es culpar a los demás por sistema. Objetar suele ser ingenioso, pero más lo es el hallar salida a los inconvenientes.

Así pues, dejemos de hacernos propaganda. Digamos: la verdad no es tuya ni mía. Ésta es la única manera de que al final se dé la razón a quien la tenga, sin empezar con pleitos, y de que a todos nos vaya mejor:

> Me celebro y me canto a mí mismo
> y lo que yo gane usted también lo ganará,
> pues cada átomo que me pertenece
> también a usted le pertenecerá.
>
> WALT WHITMAN

Soy más grande que mi no-yo

El hecho de que un problema exista no significa que ya por eso hayamos perdido nuestro valor como personas; no mezclemos nuestros problemas con nuestro valor incondicional como personas. Por mal que vayan las cosas, por una o muchas que se hayan quedado cerradas, eso no significa que nuestra vida quede sin puertas abiertas.

Cada uno es más grande que cualquier acontecimiento negativo que pueda sucederle. «Tengo cáncer, dijo; pero el cáncer no me tiene a mí.» El dolor, la desgracia, el sufrimiento han quedado fuera de mi puerta. Yo me encuentro en el interior de la casa y tengo la llave.

Al final, aunque la aprobación de los demás puede ser muy importante, no es tan vital como el aire que respiramos. Nuestro valor como persona no lo mide el rechazo ni la crítica, ni siquiera la aceptación por parte de los demás.

Capítulo 5

Forjar caracteres valiosos

Conocidas ya esas actitudes negativas, y buscando evitarlas, analizaremos ahora cuáles son las actitudes necesarias por parte de padres y maestros para forjar un carácter valioso en nuestros hijos y alumnos.

ESPACIO: ACOGEDOR

No se forjan valores de cualquier modo, en cualquier momento ni en cualquier sitio. Busquemos un buen lugar y un momento adecuados. Creemos un clima propicio, acogedor, de respeto por el otro, de interés, sencillez y confianza. Si yo quiero decirle a una persona algo importante, no se lo diré en cualquier parte.

Preparemos no sólo el ámbito exterior, también el interior, relajándolo, nos va a hacer falta.

TIEMPO: DESPACIO

Dispongamos de todo el tiempo para la otra persona. Un papá grabó los cuentos en una cinta, que aprendió a reproducir su hija. Una noche puso la niña el libro en manos de su papá pidiéndole que le leyera un cuento: «Pero, tesoro, ahora ya sabes cómo se maneja la grabadora...» «Sí, pero no puedo sentarme en tus rodillas.»

Somos tiempo y no damos lo que somos si no damos nuestro tiempo. El aprendizaje de los valores exige tiempo, tiempo y más tiempo. Tiempo, es decir, presencia, cercanía, acompañamiento, dedicación, abnegación. No sólo tiempo para ti, sino tiempo contigo.

Desde el tiempo compartido compartimos lo demás. Orientamos al niño desorientado ofreciéndole amistad, sin dejar de ser padres y maestros. Mientras los amigos se sitúan en un mismo plano, el niño espera del adulto que lo auxilie y que le exija; esto pide dualidad de planos y la tarea del plano superior (padres, maestros) es elevar y hacer madurar el plano infantil. A veces los adolescentes toman esta dualidad de planos como un rechazo de la amistad que ellos noblemente ofrecen en plano igualitario. Habrá que actuar con tacto para no herir sus sentimientos cuando éste sea el caso.

ACTITUD: EMPÁTICA

Escuchar exige dedicación, así como una cierta habilidad. Ante todo, reconozcamos al niño. Sus problemas no son tonterías para él. Lo serán por lo menos hasta que haya tenido la oportunidad de contar su preocupación.

El mejor punto de vista para comprender a una persona es ponerse en su lugar con voluntad de ayuda.

Debemos escuchar no sólo las palabras de nuestro interlocutor, sino también a él mismo, intentando entrever lo que hay atrás. Considere sus claves no verbales, sus posturas, sus gestos, sus movimientos.

Adopte a la vez usted mismo una postura corporal adecuada.

Escuche y trate de distinguir entre las palabras y el significado de las mismas, de leer simultáneamente el tono, el ritmo y el timbre del interlocutor.

Mire a los ojos de los niños cuando hablen. Tenga la mirada puesta en su entrecejo, sin dejarse atrapar por sus sentimientos.

Mantenga una retroalimentación activa mediante gestos de aceptación (como movimientos de cabeza y expresiones faciales adecuadas), sin perder el contacto visual.

Relaje y neutralice las respuestas emocionales de irritación u hostilidad de la otra persona; ayúdela, si es sumisa, a tener confianza en sí misma. Invítela a seguir hablando para evitar una respuesta mecánica; deje que concluya la idea aunque le moleste lo que está diciendo, déle oportunidad para que termine de hablar; haga una pausa antes de contestar para evitar decir burradas; formule preguntas para verificar que ha entendido el mensaje (por ejemplo: «¿lo que me quieres decir es que...?», «¿lo que deseas que yo haga es ...?; asegúrese de que a usted también se le ha interpretado con fidelidad; en el caso de que el niño hable compulsivamente, no lo interrumpa pero limite el tiempo para expresar las respectivas opiniones.

Si los ánimos empiezan a caldearse, suspenda el diálogo por un tiempo, pero abra la puerta a otro nuevo.

Acepte sus sentimientos. Los sentimientos son transitorios, pasan y desaparecen.

FORMA DE JUEGO: AUTENTICIDAD, FRANQUEZA

Dialoguemos, estemos cerca sin enmascaramiento, sin duplicidad. La persona auténtica es idéntica consigo misma, no aparenta, es congruente entre lo que cree y lo que vive, entre lo que dice y lo que hace.

La persona veraz no sólo es moralmente superior, sino que además se muestra tal como es y no gasta energía en ponerse una máscara para satisfacer a los demás. La máscara es un disfraz que oculta nuestra verdadera identidad. Quien se ve obligado o se empeña en llevar máscara es porque no cree ser querido por los demás, y necesita ocultarse.

El motivo de ese esfuerzo de ocultación es la inseguridad y el miedo a que no nos quieran tal como somos. La mejor manera de hacerse invulnerable no es esconderse, sino manejar y presentar con prudencia las debilidades.

Actuar de forma totalmente transparente en un mundo que no lo es puede resultar peligroso, por eso hay que saber manejar el rechazo. Generalmente andamos precavidos y nos cerramos cuando es innecesario. Quien se cierra a lo malo se cierra también a lo bueno y se empobrece.

Si no manifiesto lo que me está pasando, ¿cómo entenderse? Nadie tiene magia para leer nuestros pensamientos ocultos. ¿Por qué no hacer el esfuerzo de exteriorizar nuestra vida interior, en lugar de pedir que desde fuera nos la descubran los otros? No seamos palos secos, personas emocionalmente inexpresivas, porque el diálogo sin expresividad es diálogo muerto. La persona expresiva posee la libertad, el tacto y la capacidad suficiente para comunicar el orden de sus afectos. Cuando una persona no comprende a los demás ni se comunica con ellos, éstos se transforman para ella en extraños y por lo mismo en fuentes de temor.

Cuando nos mostramos como somos y compartimos, entonces estamos abiertos y transparentes, receptivos. Estar abierto es también saber dejar salir las cosas que podrían perjudicarnos. La persona abierta al mundo desarrolla aquella orientación de su carácter que le permite atender al ambiente exterior de una forma crítica y selectiva. Dicha persona suele ser optimista, pues el pesimismo y la ansiedad oscurecen la esperanza de intercambiar. Realista, no espera bienes fuera de lo objetivamente razonable, y discierne entre lo que verdaderamente desea aceptar y lo que no le interesa o conviene. Para facilitar esta actitud y cosechar mejores resultados, desarrolla una constelación de rasgos secundarios, como la amabilidad, el optimismo, la confianza razonable, el apego a las fuentes del bien y el atractivo y la suavidad que hacen agradable su trato y facilitan la donación de los valores que espera.

Y si hablamos de estar abiertos, hemos de hacerlo extensivo a todo. Cuando llevo a los educandos o a mis hijos a ciertos ambientes donde la miseria impera, estoy haciendo por ellos mucho más que cuando les pongo una venda en los ojos para que no conozcan jamás ambientes semejantes. La razón es bien sencilla: valoran más lo que tienen cuando comparan su propia situación con situaciones peores. Además, aprenden a conocer la realidad, pues al fin y al cabo la verdad se impone. Por otro lado, fomento su creatividad preguntando cómo podrían solucionar los males ajenos.

Por último, ellos ganarán en autoestima procurando el bien a los demás y aumentarán su inteligencia para solucionar problemas. Está demostrado que en los países donde reina la injusticia estructural, los ciudadanos carecen de autoestima y se acentúa su sentimiento de inferioridad, incluso entre los más ricos.

DISPOSICIÓN: CALMA INTELIGENTE

Establezcamos claramente nuestros objetivos y procuremos en lo posible tomar conciencia de nuestras intenciones dialógicas más ocultas. Aclaremos nuestra mente con firmeza de propósito, pues quien tiene las ideas oscuras o confusas organiza su comportamiento conforme a un sistema de amenazas. Definamos el problema.

Seamos cuidadosos con el uso de las palabras. Expresiones como «siempre, nunca, todos, ninguno», constituyen una trampa en nuestra forma de plantear el diálogo. Aclaremos también nuestras expresiones: que lo que decimos resulte entendible para el niño.

No emitamos mensajes que dicen una cosa y tienen la intención de informar otra; por ejemplo, mascullando con cara de pocos amigos que no estoy enojado(a). Los mensajes dobles o equívocos se utilizan cuando la persona:

- Tiene baja autoestima y se siente mal por decir la verdad.
- Tiene miedo de lastimar los sentimientos ajenos.
- Está preocupada por las represalias de los demás.
- Teme que exista una ruptura en la relación.
- No busca imponerse.

Envíe mensajes constructivos. Enfatice los aspectos positivos de las partes involucradas, no sólo sus desaciertos. Elogie sus buenas ideas y sus pensamientos propositivos o constructivos para que perciban el respeto que nos merece lo que –como delicado obsequio– los demás se han atrevido a comunicarnos. Celebre sus buenas cualidades y sus disposiciones.

Ceda en parte, ahondando en la verdad de los criterios: «yo tengo tales razones y quiero que las respetes; sé que tú tienes otras razones y quiero respetarlas. De este modo, tras haber tratado de compatibilizar lo más posible las razones de ambos, yo sabría que no puedo imponerte determinadas cosas, ni tú a mí».

MODO: AUTOCONTROL

Desde luego, el adulto está obligado a la serenidad. Los niños enervan a veces con su posición drástica, su terquedad, sus exigencias perentorias: «¡pues yo lo quiero ahora!», «pues no lo quiero». Hay que dialogar, ofrecerle alternativas, negociar con calma, actuar sin dejarse arrastrar reactivamente por las impresiones del momento. Si es necesario, morderse un poco la lengua. Duele. Pensemos antes de hablar. No debemos decir: «los alumnos no se responsabilizan»; digamos: «estos alumnos dejan los libros en el suelo.» Debemos hacer acopio de paciencia, saber esperar. Recordemos que es difícil expresar sentimientos profundos. Quizá mañana brille más el Sol, no demos por perdido nada, no digamos por principio: «eso no servirá de nada», «ya lo hicimos antes y no funcionó», «¡otra vez con lo mismo!», etc. No se debe prender la luz para apagarla de inmediato. Es mejor tranquilizarse ante lo inevitable y esperar el cambio, propiciando activamente su mejora.

He aquí algunos consejos para favorecer el autocontrol:

- Mantenga una apariencia tranquila ante estímulos que provocan ira y agresividad.
- Cuando esté enojado, tome una hoja y escriba lo que siente. Al enfrentar de este modo el problema, ganará en objetividad y perderá en acaloramiento.
- Domine su lenguaje. Esto le ayudará a frenar el impulso de agresividad.
- Trate de mantener la cabeza fría.
- Respire profunda y lentamente; si grita y se enoja, se involucrará en más problemas; por otra parte, perderá ante los demás la poca o mucha razón que pudiera asistirle.
- Verbalice las razones de su enojo sin gritar ni ofender.
- Si todavía se siente muy enojado, o si la otra persona lo está, no discutan en ese momento; háganlo cuando ambos se hayan tranquilizado.
- Mientras tanto, canalice su emoción en alguna actividad que le permita liberar la energía contenida. Lo difícil es extraer dulzura de lo amargo.

- Posponga el diálogo si esta vez no va a tomar las cosas en serio. Estar dispuesto a tomar el diálogo en serio tiene mucho que ver con estar dispuesto a perdonar.

RELACIÓN: RESPETO

Los niños también son personas, y por tanto merecen respeto.

El respeto de la intimidad espacial de los niños

¿Cómo perciben intuitivamente los más pequeños la noción de respeto? En actos tan sencillos como cuando se llama a su puerta y se pide permiso para entrar al cuarto. En tales gestos perciben el respeto a sus posesiones, su espacio y su persona.

¿Y cómo perciben que no se les respeta? Cuando se husmea en sus cuartos, cuando se escuchan sus conversaciones telefónicas, cuando se leen notas de sus amigos y para sus amigos, cuando se entra sin llamar. Cuanto más se produzcan estos actos, tanto menos confiarán los niños en los adultos, y tanto menos aprenderán la importancia del respeto.

Para ver respetada esa identidad los niños necesitan un ámbito de privacidad, por pequeño que sea, quizá una simple caja de cartón donde guardar aquellas cosas que consideran más suyas. También es necesario que se les respete escrupulosamente.

Otras veces los adultos pretenden que lo que poseen los niños esté disponible para uso de todos. Pero, si bien esa superación del egoísmo constituye la meta de toda educación adulta y madura, los más pequeños no pueden entenderlo aún, pues no está en su desarrollo psicoevolutivo que lo suyo se ponga a disposición de todos. Por tanto, no se trata de educar al niño en el egoísmo, sino de mantener su privacidad y abrirla lentamente hacia el comunitarismo y hacia la solidaridad, pero sin omitir etapas, lo que a la larga produciría el efecto contrario al deseado.

El respeto del carácter confidencial y privado del tiempo del niño

Asimismo, los niños necesitan (aunque no lo sientan así al principio) tiempo para sí mismos, aunque sea un rato cada día para reflexionar sobre sus experiencias, para manejar aquellas que sean confusas o molestas, o simplemente para jugar con sus juguetes. Para los niños más pequeños, un tiempo de siesta.

Si los niños están ocupados todo el tiempo (escuela, televisión, juegos con otros niños, etc.), no aprenderán a desarrollar su propia identidad.

**El respeto del carácter confidencial
y privado de las confidencias infantiles**

Nada genera más desconfianza que poner en boca de los demás lo que nos fue confiado como a un santuario. También los niños sienten la divulgación del secreto que nos confiaron como una vulneración de la relación y de la confianza: los niños no son extraterrestres.

EL «CONTRATO»

Respeto, sí; exigencia, también. Respeto exigente, exigencia respetuosa. Respetar no consiste en «dejar actuar», en no impedir el desarrollo de los comportamientos nocivos, pues cuando son malos hay que censurarlos, aunque sin menospreciar a la persona.

Respetar no es transigir con todo, ya que educar es ayudar a fomentar lo bueno y a erradicar lo malo, pero no a costa de carecer de reglas ni de normas; incluso quienes niegan toda norma lo hacen por norma: por la norma de negar las normas. Ninguna enseñanza ni crianza pueden dejar de ser regladas de algún modo. Hablar de reglas no es defender el mero legalismo, ni promover actitudes burocráticas.

Las normas se traducen en «contratos» solemnes firmados y rubricados entre mayores y menores. Les denominamos «contratos» para realzar más la equiparidad de los co-firmantes, niño y adulto. Al niño también le gusta este énfasis: juega y aprende, juega con su palabra, pero no en el sentido que la expresión «jugar con la palabra» tiene entre los adultos.

Podemos llegar a escribir con el curso del tiempo un «libro de los contratos».

He aquí como ejemplo algunas prescripciones o reglas sencillas:

1. Pon tu ropa sucia en la canasta.
2. Cuando te llame, debes venir.
3. Mastica con la boca cerrada.
4. Espera tu turno.
5. Llévate bien con tu hermano.

También puede ocurrir que el niño pregunte por qué debe cumplir esas reglas contractuales. Entonces se le dirá que porque la regla es la regla. Si el niño es un poco mayor y se ha pactado con él dicha regla, hay que recordarle que él mismo colaboró en su redacción y aceptación. Si pese a todo insiste en rehusarla, hay que hacerla cumplir, aunque ello no resulte muy «popular». Como la regla es buena, al cumplirla descubrirá que no sólo no es pesada cuando se torna hábito, sino que además aligera la vida e incluso permite disfrutar de más tiempo libre.

Cuando, por ejemplo, el niño infringe la regla, puede preguntársele: ¿qué dice la regla? El niño responderá recitándola, lo cual le servirá para aprenderla mejor y además para darse cuenta de que la ha conculcado. Se producirá, pues, un reforzamiento de la regla, lo cual le permitirá mantener sus expectativas en relación con su comportamiento.

Si cumple, debemos elogiarlo. Por ejemplo: «Viniste cuando te llamé. ¡Me encanta que me prestes atención!» Así recordamos la regla, la importancia de observarla y la gratitud por ello, lo cual sirve de acicate para la reiteración de la buena conducta venidera.

El libro de prescripciones disminuye las discusiones y los acuerdos sobre lo establecido primero unilateralmente por los adultos, y luego consensuado entre adultos y niños, cuando son lo suficientemente mayores para ello. Para alcanzar la autodisciplina, el niño aprenderá a fijarse metas para sí mismo, a decidir los pasos requeridos para alcanzarlas y a trabajar consecuentemente.

Asimismo, se irán añadiendo nuevas reglas, ya sea para progresar, ya sea para rectificar. Cuando el niño no quiera rectificar, no deberá evitarse la desilusión de los niños dándoles de todas formas lo que querían y permitiendo así que logren la meta sin haber trabajado para alcanzarla. Esto resulta contraproducente, porque impide el aprendizaje y el afrontamiento de la dificultad, y la obtención con el mínimo esfuerzo de lo apetecido, lo que retarda y hasta imposibilita la maduración.

¿Por qué hacer «contratos» con los niños?

Desde la perspectiva agrado-desagrado, existen básicamente cuatro clases de actividad:

- Grata con poco esfuerzo.
- Grata con mayor esfuerzo.
- Poco grata con poco esfuerzo.
- Poco grata con mayor esfuerzo.

Hay asimismo una actividad libre o impuesta. Ante ellas se dan también dos clases de personas, la primera de las cuales no presenta mayores problemas: se trata de la clase de los motivados al logro, cuyo móvil de acción es el éxito; suelen elegir tareas con un grado medio de dificultad.

Más problemáticos son los comportamientos *nocífugos*, los cuales, para evitar el fracaso que les produce ansiedad, eligen tareas con un grado extremo de dificultad, demasiado fáciles o demasiado difíciles, lo cual se explica porque las primeras ofrecen la seguridad de ser superadas y las segundas una disculpa razonable por el alto grado de dificultad que entrañan. Con ambas elecciones buscan evitar la ansiedad que les produce enfrentarse con tareas de dificultad media, las cuales exigen una buena dosis de esfuerzo, tesón y constancia. Esta clase de personas necesita los «contratos».

Para cumplir los contratos: con prudencia

Los niños necesitan reglas y se responsabilizarán de cumplirlas; los adultos presentaremos las consecuencias de la violación de las reglas de una manera respetuosa y no para transigir con la violación, sino para impedirla.

Contratos personales

Los contratos se harán de persona a persona, por separado con cada hijo, sin comparar con los demás, siempre con apoyo y afecto.

Contratos solemnes

Cuando sea necesario, los adultos estableceremos los pactos por escrito y firmando para realzar su solemnidad: los pactos han de ser conservados por ambas partes. Fijaremos en la pared esas normas, por ejemplo «llame antes de entrar», «pida permiso antes de tomar prestado algo», etc., de tal manera que tanto adultos como niños las vean y cumplan adecuadamente. Esto permitirá tanto elogiar el cumplimiento del niño, como recordar su incumplimiento para la eventual mejora.

Por otra parte, estos contratos así fijados y promulgados ayudarán a que el niño no confunda la norma con la persona del adulto. Gracias a ello las normas se sostendrán por sí mismas y serán un foco no emocional capaz de soportar las protestas infantiles pues, cuando el adulto se convierte en la norma, los pequeños le ven como la persona a quien hay que poner a prueba.

Contratos infantiles

Los pequeños no tienen capacidad de concentración, ni demasiada fuerza de voluntad, por eso no son pacientes ni constantes.

Será preciso partir de los intereses de los niños, permitiendo que nos interrupan para contarnos lo que a nosotros podría parecernos una tontería. Cuando el niño ya es mayorcito no deberá interrumpir en cualquier momento, pues ya habrá aprendido a tener paciencia.

Contratos tangibles

El niño necesita ayuda para desarrollar la paciencia poco a poco. El éxito del paso anterior servirá para cimentar el éxito del paso posterior.

Para ayudar a mantener la tensión que la paciencia requiere, los esfuerzos y las recompensas serán tangibles y a corto plazo. Por ejemplo: cada día, durante dos semanas, el niño se comprometerá a dejar su habitación limpia y ordenada. El adulto, a dejarle bajo la almohada una nota de felicitación y una recompensa. Después, la nota de felicitación y recompensa se hará cada semana. Luego, cada mes, hasta haber desarrollado el hábito positivo, con un seguimiento de lo estipulado para ratificar su cumplimiento.

Variante: por cada día de aminoración de los malos modos y de la falta de consideración hacia el hermano, recibirá una felicitación en público y el derecho a pedir el postre que más le apetezca a la hora de comer. Pasada la primera semana de mejoría, él mismo tendrá derecho a proponer la recompensa. Así se proseguirá hasta que encuentre la recompensa en ser bueno.

Contratos claros

Si queremos lograr el acuerdo del niño, y que su desacuerdo sea razonable y fértil, establezcamos anticipadamente los objetivos del contrato que vincula a ambas partes y las consecuencias que se derivarían de la violación de los pactos. Ello permitirá al niño prever lo que ocurriría si cualquiera de las partes los quebrantase. El niño que no entienda esto se expone a incurrir en más fallos, por eso hay que explicarse bien y cerciorarse de que ha entendido el mensaje. La mejor manera de cumplir las expectativas y de prevenir problemas es, por tanto, decir al niño exactamente qué comportamiento se espera de ambas partes.

Esta advertencia ayudará también a que se sienta seguro, ya que conoce las reglas.

Contratos modestos

Exigir pocas cosas sin agobiar ni recriminar, con etapas sencillas y adaptadas a la edad y a la capacidad de esfuerzo. Avances graduados, en el momento oportuno y proporcionando los medios adecuados.

Contratos justos

Exigiendo sólo lo pactado.

Contratos sin sobreprotección

Si la buena conducta del niño no se produce, si el niño no quiere aprender por algún motivo, hay que ayudarle a aprender a cumplir los pactos a la distancia justa: recordemos que en un día de frío invierno un grupo de erizos intentó darse calor, pero fue imposible por sus púas afiladas.

Sin sobreprotección: un elefante paseaba un día por la selva, cuando observó entre la hierba un nido con cuatro pequeños huevos. Como no vio a la madre, se puso a silbar llamándola. Como nadie venía, el elefante pensó: «no puedo abandonar estos huevecillos. Tengo que darles calor». Luego se agachó despacio sobre el nido, pero el peso de su cuerpo lo aplastó. Cuando se dio cuenta, dolido exclamó: «también la ternura tiene un límite».

Contratos con seguimiento

Procurando un seguimiento: ordenar y comprobar que se cumple lo estipulado.

En positivo

Debemos confiar en el niño, de forma que éste perciba esa confianza y sienta que no puede defraudarla. En programación neurolingüística se insiste en la importancia de que los comentarios de los adultos tengan siempre sentido positivo, pues está comprobado que el cerebro recibe mejor las órdenes o sugestiones en este sentido. Empleemos la energía en gestos propositivos. Lo positivo anula a lo negativo. Educar proponiendo metas cada día es mejor que educar censurando todos los días.

Aleccionando

En caso de fallo o incumplimiento, debemos recordar que un fracaso constituye una lección para no repetirlo, así como para analizarlo y superarlo en el futuro.

Siendo auxiliados

Inicialmente, podemos buscar que ayuden al niño sus hermanos de edad parecida y sus compañeros de colegio y amigos. Hay que contar con el mayorcito como coeducador del menor, sin que por ello victimemos al hermano mayor convirtiéndolo en un «cuidador».

Obviamente, para superar las dificultades y los desfallecimientos propios de todos los seres humanos, los adultos, los padres y los educadores estaremos ahí con la mayor paciencia posible, dispuestos siempre a proponer posibilidades de resolución del problema y, desde luego, ofreciendo incondicional apoyo. Todo ello, ¡insistimos!, a la distancia adecuada: ni demasiado cerca que anulemos su iniciativa, ni demasiado lejos que no sientan nuestro auxilio.

Con el ejemplo adulto

Los niños aprenderán que deben establecer acuerdos con los hermanos y compañeros, y cumplirlos. Aprenderán a cumplir las reglas de juego, una vez que las conozcan. Dirán la verdad según su capacidad. Deberán respetar la propiedad ajena, no romperla, no apropiársela. Respetarán los derechos ajenos, sin hacer trampa en las formaciones, estar callados en los momentos de estudio, no burlarse de los demás, etcétera.

Es el momento de insistir en las reglas de juego, que iniciarán los padres. Los niños pequeños apelan con frecuencia a la autoridad de los padres para resolver problemas de justicia en sus juegos. En cambio, a partir de los nueve o 10 años aproximadamente, discutirán las reglas entre ellos y únicamente acudirán a los adultos en casos anómalos o en situación de mayor conflicto; a veces, preferirán incluso abandonar el juego antes que aceptar la mediación o la definición de las reglas por parte de los padres.

Los adultos no han de esperar a ser perfectos para exigir a sus hijos la práctica de la virtud, lo importante es que los hijos los vean luchar y esforzarse, rectificar.

VALORAR EL ESFUERZO INFANTIL

Cultivar la fortaleza

Sin duda alguna, los contratos fortalecen al niño, fraguan la virtud y el valor de su carácter.

Pero el mejor fortalecimiento de los niños resultaría inútil si no perciben nuestra propia fortaleza. Que nos vean resistir la sesión del dentista, o atender a algún conocido que nos aburre con su conversación porque necesita alguien con quien hablar. Cuando la finalidad está clara se resiste mejor la molestia en cuestión. Eso no impide que un niño pequeño no aguante la inyección sin quejarse, aunque sepa que se va a curar.

Dos niños quieren jugar con un juguete ruidoso cuando el bebé se ha dormido tras largos esfuerzos. El adulto les dice: «no jueguen a eso, porque van a despertar al bebé». En este caso les estamos pidiendo que resistan en favor de otro.

En otras ocasiones, lo pediremos en favor del propio niño: que él mismo no cruce la calle para que no sea atropellado. Para evitar la frustración que supone no jugar para que otro se beneficie, lo que les llevaría a enfadarse, se les sugiere otro juego, pero silencioso.

Saber que se ha resistido al juego ruidoso en favor del bebé y del adulto proporciona a los pequeños fuerza y satisfacción. Con una motivación adecuada las cosas van mejor, pues los niños comprenden que el sacrificio que están realizando es necesario y conveniente. Si, por el contrario, los educamos en el esfuerzo por dominarse, pero no les enseñamos lo que deben hacer, pueden acabar buscando lo malo con gran eficacia.

No se trata de hacer pensar al niño que el médico siempre lo va a curar, sino que va a poner los medios más apropiados para que se cure. Así aprenderá a ser optimista no por el resultado, sino por los medios y por la intención. El optimismo reiterado debido a los solos resultados lleva al optimismo falso cuando se produce el fracaso, que adviene alguna vez en la vida. La fortaleza no puede basarse en un optimismo falso, mal informado. El niño que fracasa necesita muestras de cariño, pero no debe intentar convencérsele de que triunfa cuando está fracasando; lo que hay que hacer es crear situaciones para que pueda triunfar y llegar a confiar más. Quien nos quiere nos optimiza y nos hace más fuertes, no quien nos miente, por bien intencionada que sea la mentira. Da más fuerza saberse querido que saberse fuerte.

Por otra parte, el «fracaso» de un niño no es el nuestro: se desengaña porque el compañero no lo invite a la fiesta de cumpleaños, porque lo hayan acusado por lo que no hizo, etc. Y aunque todo lo que nos hace sufrir es malo porque nos hace sufrir, sin embargo el niño es más consolable. Y debe enseñársele a diferenciar entre lo significativo y lo menos relevante, ayudarlo a ver con claridad, mostrarle siempre nuestro apoyo razonable (si lo que hizo no es censurable) y proponerle metas alternativas donde lo importante sea el esfuerzo, el crecimiento, más que el éxito inmediato. La alegría y la confianza de los padres y educadores serán la de los niños. Poco a poco éstos aprenderán a confiar razonablemente en sí mismos y en los adultos a la vez. En las diferentes etapas, el adulto enseñará a reconocer lo importante y lo superfluo, a discernir medios y fines, a concretar posibilidades. Para los más pequeños lo decisivo es confiar.

Juego del ¿quiero?, ¿puedo?, ¿debo?

El aprendizaje y la forja del carácter no caen del cielo, ni se producen de la noche a la mañana. A cada día le basta su afán, pero hace falta un afán cotidiano. El cambio de comportamiento no se da sin el cambio de actitud, pero ésta a su vez no vale nada sin el cambio del comportamiento. Es necesario enseñar un comportamiento más apropiado.

Se orienta a los niños a un mejor afán llevándolos a pensar antes de actuar, y para ello resulta imprescindible pensar la articulación querer-poder-deber. En efecto, no basta con el mero querer algo para forjar un carácter: el querer es necesario, pero insuficiente. Para ejercer el querer hace falta poder. Pero tampoco se debe hacer todo lo que se puede: hace falta tener en cuenta el deber para que la acción sea axiológicamente correcta.[6]

Así pues, a los niños les haremos ver que la mejor decisión es la que implica responsabilidad (¿debo?), porque ella es lo que más nos acerca a las decisiones en libertad. Por ejemplo:

a) ¿Puedo ir al cine? Sí, porque tengo dinero para la entrada.

[6] Cfr. con nuestro libro *Diez palabras clave para educar en valores*, IMDOSOC, México, 1998.

b) ¿Quiero ir al cine? Sí, porque la película me interesa.
c) ¿Debo? No, porque no he estudiado para el examen y si voy al cine reprobaré.

Cuando las personas no reflexionan en el ¿debo? se arriesgan a que sus apetencias y sentimientos contradigan el enfrentamiento con la realidad axiológica, que se basa en el deber ser.

CON ASERTIVIDAD

Sin enredarse

Pero está enfrente el otro. Por mucho que yo quiera-pueda-deba, ¿qué ocurre si el otro, el niño en este caso, no desea acompañarnos en el crecimiento axiológico?

Si el otro no reconoce el problema, hágale saber los sentimientos negativos que está produciendo en usted su conducta, de modo que se entere claramente; explíquele con valentía que está interfiriendo en sus necesidades o derechos. Ser asertivo es confrontar, reclamar razonablemente lo que suponemos ser una falta o un comportamiento negativo de otra persona. Dígale sin acritud lo que cree que no ha hecho bien. Diga «no» sin herir y sin que nadie se sienta rechazado. Defienda sus posiciones, pero sin agredir, sin necesidad de palabrotas, sarcasmos o algo que se le parezca.

No cebarse en comentarios adversos, sino replantear sus argumentos para reconducirlos en la dirección correcta. Sin ofender, sin brutalidad, con delicadeza, suavemente en el modo, consistentemente en el mensaje. Si todo el mundo dijese a todo el mundo lo que piensa sobre todo el mundo, el resultado sería un mundo inmundo. No se trata de mentir, sino de callar aquello que pueda herir, lastimar, etc., y que no resulte estrictamente necesario declarar. Si lo que tiene que decir va a ayudar, dígalo; en caso contrario, mejor guárdese el comentario.

Vaya directamente al punto preciso del conflicto, sin desviaciones, estableciendo las bases del diálogo sobre hechos positivos. No traiga a colación otras rancias historias que no vienen al caso. Si lo pasado pasó, atengámonos a sus efectos en el presente; si aún perduran sus efectos, examinémoslos como presentes, pero no nos dejemos enredar por el memorial de agravios, no alarguemos el problema demasiado: cuanto menos historia del túnel, menos túnel.

Hay que romper el nudo de la trama. La joven pareja urdió un plan: «Esta noche, cuando yo sirva la sopa, nos ponemos a discutir. Tú dices que está muy salada, y yo digo que está insípida; si mi madre te da la razón a ti, yo me pongo furiosa y la echo de casa; si me la da a mí, la echas tú.» Se sirvió la sopa, llegó el conflicto preparado de antemano, y la señora, hundiendo su cuchara en la sopa, se la llevó a los labios, la probó cuidadosamente, hizo una pausa y dijo con toda elegancia: «a mí me gusta».

Ternura y vigor

Evite hacer al niño lo mismo que él hizo a su víctima («puesto que mordiste a tu hermana, te voy a morder para que sepas cómo duele»). Esto incrementa su ira y su agresividad, hace perder el respeto al adulto que inflige el daño y aumenta su incapacidad para sentir empatía.

Evite reaccionar exageradamente ante los actos desconsiderados del niño («¿cómo te atreves a decirle cosas así a tu hermana? ¡Estás castigado por un mes!»).

Hable clara, directa y asertivamente estableciendo pautas de conducta: «entiendo que quieras seguir jugando, pero ya es hora de comer y quiero que guardes esos juguetes inmediatamente». Con tono firme, sin gestos intimidatorios; al contrario, poniendo la mano amablemente sobre el hombro del niño para trasmitir tranquilidad y sensación de dominio de la situación, y mirándolo a los ojos. Todo eso, lejos de intimidar al niño, le da seguridad porque ve que el adulto tiene personalidad.

Respalde firmemente las palabras con hechos. No se puede dar una orden y luego no exigir su cumplimiento haciéndose el desentendido.

Es importante que los padres y educadores tengamos tiempo para conversar sobre los niños y para determinar con antelación la forma en que vamos a respaldar nuestras palabras con acciones que aseguren el buen comportamiento. Cuanto más se preparen, tanta más seguridad, confianza y firmeza tendrán. Educar es ir por delante, prever.

No use la agresividad; si en principio produce sumisión, al final termina generando rebeldía. Los gritos, el insulto, la pérdida de autocontrol, las penitencias excesivas o desproporcionadas, las amenazas sin contenido, el vacilante dar marcha atrás de forma incoherente, el castigo físico, etc., todo eso desautoriza por completo el mensaje adulto y causa conductas opuestas a las buscadas.

Actúe con seguridad. Éstos son algunos ejemplos de conductas inseguras: «¿por qué te portas tan mal conmigo?», «¿cuántas veces tengo que decirte que termines tu tarea?» Ante preguntas semejantes, muchos niños se limitarán a encogerse de hombros. Por otro lado, las indicaciones en forma interrogativa no sólo no trasmiten claramente lo que se espera de los hijos, sino que además manifiestan falta de convicción, debilidad o inseguridad adulta.

No emplee súplicas del tipo «no me haces caso», «por favor, pórtate bien». El mero ruego al niño para que sea bueno, comprensivo o considerado con el adulto sólo trasmite debilidad, que induce a la desobediencia y a la desvalorización, con lo que se pierde prestigio y autoridad, así como la ocasión de presentar un modelo imitable.

Elogie, premie y reconozca las buenas conductas. El niño necesita atención y si no la obtiene portándose en forma gratificante para él, la buscará con comportamientos inadecuados.

TÉCNICAS

Padres y educadores pueden intuir por instinto pedagógico natural que las cosas son tal y como las estamos exponiendo. Pero existen técnicas de perfeccionamiento asertivo.

El disco rayado

Consiste en utilizar la misma frase varias veces hasta que la otra persona comprenda que no cambiaremos de opinión, y desista. Por ejemplo, cuando los amigos me quieren obligar a que fume, puedo repetir la frase «no, gracias, yo no fumo», tantas veces como ellos insistan, hasta que de plano se cansen y me dejen en paz.

Para evitar discusiones inútiles:

–Juan, por favor, guarda tus juguetes.
–¿Y por qué tengo que guardarlos yo? Ana no los guarda nunca.
–Ése no es el tema. Yo quiero que guardes tus juguetes...

Persevere, repitiendo lo mismo, sin entrar en otros terrenos.

El banco de niebla

Esta técnica se utiliza para combatir a quienes me quieren hacer enojar. Yo puedo contestar: «es verdad, tal vez estoy fuera de onda o quizá soy un amargado, pero no deseo fumar». Es casi seguro que dejarán de molestarme. Observe cómo es posible dejar sin argumentos a los niños y no distraerse del mensaje que se desea trasmitir, así como mantener la serenidad y la calma:

–Eres una mamá mala.
–Puede ser que a ti te parezca que soy mala.

–Siempre me regañas a mí.
–Puede ser que creas que siempre te regaño a ti.

La aserción positiva

Véase lo dicho sobre la asertividad en general.

La interrogación negativa

Consiste en dejar la iniciativa de la explicación al otro, y con ello el desgaste de su argumento: «¿Qué tiene de malo que yo no fume?», «¿qué beneficio me trae ser fumador?»

También se utiliza para conducir gradualmente el descontento hasta alcanzar el motivo real de la respuesta agresiva inicial:

–El pastel está espantoso.
–¿Qué es lo que tiene de espantoso?
–Que quedó feo.
–¿Y qué tiene para estar feo?
–Que mis compañeros se van a reír
–¿Por qué crees que se van a reír?
–Siempre se burlan de mí y me pelean, no quieren jugar conmigo.
–¿Y que podrías hacer para no enojarte y seguir jugando?
–No hacerles caso.
–Muy bien, María, ésa es la forma en que evitarás que se rían de ti.

La extinción

Es necesario perseverar en el castigo pedagógica y amorosamente administrado, dialogado y razonado. Poco a poco irá haciendo su efecto. Cuando se carece de paciencia no se debe castigar, pues el niño tomará nota del comportamiento adulto impaciente y terminará por imponer su propio capricho, además de quedar desorientado por la irregularidad y la arbitrariedad de ese adulto.

Todo estímulo no respondido se extingue. Cuando no se responde ante un reclamo inadecuado del niño, inicialmente explotará en llanto para captar la atención y forzar una respuesta favorable. Pero, si se tiene fortaleza para no ceder y se comprueba cuidadosamente que al niño no le pasa otra cosa que una rabieta, el llanto se extinguirá poco a poco.

Evitemos, pues, rendirnos ante un lloriqueo. Muchos adultos se rinden ante el chantaje infantil, aunque sea tan sólo para acabar con la pataleta. Será mejor mostrar empatía por su sufrimiento, pero mantenerse firme para no someterse a la asociación de ideas «lloro y obtengo lo deseado».

Ceder ante las presiones, caprichos o malos humores de los niños es trasmitirles el mensaje de que no se puede con ellos, lo que redunda en su detrimento.

El tiempo fuera

De cuando en cuando el niño hiere los sentimientos de sus amigos o de sus familiares con sus palabras y con sus acciones en la medida de sus posibilidades, es decir, con la malicia propia de la edad, que no siempre es tan grande como el adulto sospecha. Entonces debemos hacérselo notar: «me siento herido cuando gritas y lloras de esa manera. Estoy seguro de que no te gustaría que yo te gritara así. De ahora en adelante, cuando vuelvas a hacer lo mismo irás al rincón». «Ir al rincón» quiere decir «te quedarás solo» durante un periodo establecido, generalmente un minuto por cada año de edad. El lugar puede ser una silla, el rincón o el cuarto del niño con la puerta cerrada u otra habitación donde no pueda pasarle nada malo, pero en el que pueda permanecer solo durante un tiempo proporcional a su actitud y a su edad. Después de cumplido, se explicará al niño cómo mejorarían las relaciones.

Si la mala conducta se produce, hay que cumplir el castigo. En caso de obstinación del niño, resulta muy eficaz volver a apartarlo físicamente de su problema durante cinco a 10 minutos de aislamiento en una habitación; puede decirle que sólo se trata de descansar de la mala acción para que interrumpa la cadena de actos negativos, reflexione y se calme.

Si insiste en la conducta, otro aislamiento. Si resulta demasiado traumático para el niño, retírese usted. Con esta acción no rechazamos al niño, sino que le hacemos entender que su comportamiento no nos agrada y que no estamos dispuestos a seguir en su compañía mientras se comporte inadecuadamente.

Cuando el niño se calme y se comporte de nuevo, lo podemos premiar con nuestra presencia al estar a su lado. Luego, debemos mantener con él una breve charla para ver cómo se ha sentido y qué ha pasado.

Al propio tiempo, nosotros nos relajaremos de la tensión asumida.

El retiro de privilegios

Puede ser un castigo en forma de extinción temporal de actividades placenteras habituales: no ir al cine, etcétera.

Si un niño ha roto un vidrio, en lugar de castigarlo prohibiendo que vea la televisión durante una semana, se le hará pagar uno nuevo: con sus ahorros, con el dinero de sus domingos, etcétera.

La elección entre portarse bien
o pagar el precio por la mala conducta

Una variante de lo anterior podría ser: «o te portas bien o te quedas sin salir a jugar; elige».

Otro ejemplo: siento mucho que ustedes dos, aun siendo hermanos, hayan decidido reñir en lugar de llevarse bien, les recriminó mamá Teresa a sus hijos Juan y Alicia, que habían peleado todo el tiempo.

–Fue ella quien empezó...
–No, fue él...
–No importa –dijo mamá–. Ninguno de ustedes debe pelear. Así que o tratan de resolver sus diferencias adecuadamente (de este modo ambos se sentirán bien) o trabajarán para mí.

Si los niños optan por continuar peleando tendrán que trabajar para la mamá pues, cuando el castigo anunciado no se cumple, se pierde toda autoridad y no se avanza por el buen camino educativo.

Evitar el empleo del castigo físico

No digamos: «lo que dijiste es horrible, debería darte un bofetón para que sepas cómo se siente tu hermana». Abofetear, golpear o amenazar con hacerlo termina por acostumbrar y no surtir efecto, produciendo a la vez mucha agresión y hostilidad, ira y deseo de venganza.

Perdonar

Es pasar la página. Una vez que ha pasado el conflicto y se ha impuesto el castigo, no recuerde más lo sucedido. En todo caso, recuerde que ya perdonó. El futuro mejor ha comenzado.

EXIGIR CON REFUERZO POSITIVO

Reforzar elogiando

Reforzar con elogios enseña al niño a madurar usando la voz de su conciencia de forma propositiva («¡sí puedo!») y a confiar en sus propios recursos.

Frases de adulto a niño	Efecto
–Confío en ti.	Esperanza
–Siempre estaré a tu lado.	Confianza
–La próxima vez lo harás mejor.	Perseverancia
–Hoy me has ayudado mucho.	Autoestima
–Estoy orgulloso de ti.	Satisfacción
–Sabía que lo harías.	Fe
–Lo hiciste con buena intención.	Bondad
–Tus amigos te quieren.	Agradecimiento
–Te hemos echado de menos.	Refuerzo de la amistad

Compruebe que los comportamientos se han aprendido y ejercido, y elogie al niño. Refuerce la práctica a través del empleo de elogios sinceros y verdaderos, y de privilegios: se pueden cazar más moscas con miel que con vinagre. Al ver los progresos realizados se está mejor dispuesto a continuar la tarea que falta.

Enseñe a los niños a elogiar el comportamiento de sus hermanos, amigos, docentes, padres, para que descubran y reconozcan lo bueno de las demás personas.

Permanezca atento a cuando llegue el momento de hacer el elogio, y no lo escatime, como tampoco lo derroche baratamente. Si se escatima, no se ayuda a crecer; si se derrocha, se trivializa.

Premiar

Premiar a los niños es necesario, sí, pero no por satisfacciones materiales inmediatas. Esto sólo para el niño pequeño. Si se abusa de los premios materiales existe el riesgo de que los niños actúen sólo por la gratificación.

En todo caso, nunca recompense con regalos o premios económicos; es preferible conceder algo que esté relacionado con sus aficiones y preferencias: llevarlos de excursión, regalarles un libro sobre un tema que les interese, etc. Los niños que obtienen cosas tangibles, como caramelos, dinero o galletas, aprenden a obtener recompensas externas por su conducta, en vez de motivarse internamente por la satisfacción de haber hecho lo que debían: sentirse bien al ayudar a alguien y autodisciplinarse.

En vez de incentivar el resultado de un trabajo bien hecho, es más importante recompensar el proceso que se requirió para lograr el resultado: «¡realmente trabajaste mucho en ese dibujo!, ¡debes estar verdaderamente orgulloso del esfuerzo que pusiste en él! Debes sentirte además muy bien porque dispones de tiempo para jugar antes de la cena». No todo el mundo puede tener éxito todo el tiempo, pero el esfuerzo es algo que todos podemos realizar en cualquier momento. Quien sólo elogia el éxito, ¿qué hará cuando llegue el fracaso? Pero quien valore el esfuerzo podrá elogiarlo con éxito o sin él.

En este sentido existen algunos padres y maestros que se preocupan por las calificaciones de sus hijos más que por su aprendizaje, aunque estudie simplemente para aprobar y carezcan de criterios adecuados para organizar el trabajo y distribuir el tiempo de estudio: mientras aprueben no hay problema. Sin embargo, aun siendo valiosa la calificación, lo importante son los hábitos de estudio, la tenacidad, el orden, la forma de encarar las dificultades que se presentan, la motivación, el aprovechamiento del tiempo, la mejora y el perfeccionamiento del método de estudio, el aprendizaje, el ensanchamiento y la profundización, la madurez que le permitirá vivir una vida más humana. Por ejemplo:

–¿Qué amable ha sido tu papá al ayudarme a ordenar después de la cena. Él sabía que yo estaba cansada y que agradecería su ayuda, –comentó Berta a Pablito, con la esperanza de que él también pensara cómo ser amable con sus hermanitos.

–Su papá siempre me avisa cuando va a llegar tarde. ¿No es amable de su parte? Él no quiere que nos preocupemos.

–Gracias por traerme la cobija. Comprendiste que tenía frío y la necesitaba.

–¡Mil gracias por ayudarme a doblar la ropa, no sé qué haría sin tu ayuda!

–¡Qué bien guardaron la ropa en los cajones y limpiaron sus escritorios! Ahora, cuando retiren las cosas que están debajo de la cama y las coloquen donde deben estar, los cuartos se verán estupendos.

Agradecer es una buenísima forma de promover un comportamiento deseado. Recomendamos estos ejercicios:

- Recordar las tres últimas veces que ha elogiado a los niños.
- Celebrar todos los días con los niños algo que ellos hacen bien.
- Permanecer atentos a las oportunidades de elogio.

Aplique con frecuencia este test de enfado adulto:

- ¿Estoy enfadado todo el tiempo?
- ¿Me cuesta encontrar algo bueno en mis hijos o en mis alumnos?
- ¿Estoy preocupado por perder el control de mí mismo?

Si sus respuestas son afirmativas, no debe dudarlo: necesita hablar con alguien que lo quiera bien.

SANCIONAR

El mensaje

Por desgracia, nadie aprende a actuar bien sin equivocarse alguna o muchas veces. Aunque hasta cierta edad el niño pequeño carece de intencionalidad, a pesar de ello hay que corregir su conducta según la edad, a fin de que aprenda a comportarse correctamente en lo sucesivo. El mensaje sólo puede ser éste, u otro como éste: «te quiero demasiado como para permitir que te portes tan mal».

Una educación adecuada debe conjugar ternura y vigor. Es un error grave esperar a que los niños se hayan vuelto ingobernables para corregirlos; eso los vuelve agresivos y tiránicos, los hace olvidar los derechos de los demás. No olvidemos que nervios y huesos hay en el cuerpo; que no sea el ánimo todo blandura.

Una de las mejores formas de sancionar al adolescente es preguntarle si se siente responsable de ese acto. En caso afirmativo, proponga que él sugiera la sanción que considere más adecuada. Si su propuesta de autocastigo es muy dura, modérela, suavícela.

En cualquier caso, es absurdo manifestarse en favor o en contra del castigo, pues de hecho estamos sancionando a los demás continuamente, al sonreírles y escucharlos (sanciones positivas), o regañándolos y criticándolos (sanciones negativas). Lo que debe procurarse es que las sanciones sean adecuadas.

Por lo demás, no hay que alarmarse por los conflictos, sino tomarlos como una oportunidad para restaurar lo que ha sido deteriorado. No es la cantidad, sino la calidad de las sanciones lo importante; deben estar acompañadas de comprensión y afecto, y buscar más allá del desorden las causas que lo producen para modificar las conductas.

Esta actuación no deja de ser dura, y muchas veces los adultos prefieren no corregir, no castigar. Esto no es bueno, porque deja al niño sin normas.

No humille

–¿Tienes algún consejo que darme para el ejercicio de mi cargo? –preguntó el gobernador.

–Sí –respondió el maestro–: aprende a dar órdenes.

–¿Y cómo debo darlas?

–De forma que los demás puedan recibirlas sin sentirse inferiores.

Lo mejor será acompañar la corrección con el cariño y la comunicación, con la explicación y la propuesta. Hay que decir, no reaccionar.

Para ayudar al niño a adquirir paciencia y a enfrentar la frustración derivada del castigo (tres ejemplos)

Como las demás personas, el niño enfrenta desengaños cada día, y a veces no sabe cómo manejarlos. Entonces hace pataletas, ataca verbalmente a sus padres y maestros, se siente deprimido, se sale de sus casillas, arma un escándalo, y exige que el mundo se mueva según su plan de acción.

El niño que acostumbra decir «¡no lo soporto!» no sólo cierra la puerta que le permite tolerar las cosas displacenteras, sino que además se denigra a sí mismo, lo cual disminuye su habilidad y fuerza interna para enfrentar los desafíos de forma positiva. Por eso importa que no siempre se salga con la suya, que no se crea con derecho a obtener necesariamente todo lo que pide, que aprenda a aplazar la satisfacción de los deseos.

Para ayudar al niño a adquirir paciencia y a enfrentar la frustración, los desengaños y la adversidad, le enseñaremos a manejar las situaciones al fijar metas futuras y a dar los pasos para lograrlas. El niño capaz de fijarse metas y de entender los pasos necesarios para alcanzarlas será más paciente cuando tenga que esperar para conseguir sus deseos. Cuando un niño nos pida algo o quiera hacer algo, en vez de responder automáticamente *sí* o *no*, le preguntaremos cómo piensa que podría lograr lo que desea. Si no lo sabe, le ayudaremos a pensar los pasos conducentes al fin.

Después, haremos que el niño mismo trabaje para conseguir sus metas. Así apreciará más lo que tiene y lo que le es permitido hacer. Al seguir la «regla de la abuela» («cuando hayas hecho lo que debes hacer, puedes hacer lo que quieras hacer»), habrá aprendido a posponer la satisfacción de sus deseos y a saber que éstos sólo se logran con esfuerzo y paciencia.

Desde luego, hasta que el niño alcance su meta pasará por difi-

cultades y malos momentos, que el adulto no debe impedir, aunque-
con la prudencia necesaria. Permita los fracasos de bajo riesgo que lo
obliguen a aprender a manejar el fracaso, la confusión y el desengaño
pues, si lo protege de cualquier tipo de fracaso, no adquirirá experiencia para manejar las consecuencias de sus decisiones. Ayudar al
niño a tolerar la frustración exige darle la oportunidad de fracasar.
Permitir fracasos de bajo riesgo –por ejemplo, no poder mirar televisión porque los juguetes no fueron recogidos a tiempo–, da al niño
experiencia para soportar el desengaño pacientemente. Durante esta
experiencia de fracaso mostraremos nuestra preocupación y empatía
hacia él, sin que eso lo salve de enfrentar las consecuencias y los
sufrimientos menores que acompañan a su acción.

Y cuando digamos «no», no cambiemos de parecer. Si el adulto
rechaza las exigencias del niño, no sólo debe mantenerse firme con
prudencia, sino también hacer que al niño le resulte «caro» continuar
con su insistencia imponiéndole un trabajo por cada minuto de
lloriqueo, independientemente de los ruegos, los halagos, los llantos
y las adulaciones que esa negativa pueda provocar. Esto requiere fortaleza y decisión. Veámoslo con tres ejemplos.

Primer ejemplo

No se comporta formativamente un padre que compra un juguete muy publicitado para su hijo porque el niño lo ha visto en un
escaparate y se lo pide pataleando. Mal hecho.

Por el contrario, si el niño hace una pataleta por los zapatos que
quería pero no podía tener, los padres esperarán a que se apacigüe y
luego empezarán a ayudarle a fijarse una meta. He aquí las opciones
que tienes: nosotros te compraremos unos zapatos que cuestan menos
que los que quieres, o tú puedes ganarte el dinero que nosotros no tenemos para obtener la diferencia y comprar los que tú quieres. Tómate
un tiempo para decidir qué quieres hacer. Bien hecho.

(En ese caso, después de que el niño ganó el dinero, decidió que
ya no quería los zapatos: no merecían la inversión de todo ese dinero
adquirido con tanto esfuerzo.)

Segundo ejemplo

El niño empieza a gritar y a llorar para que su madre lo atienda.
Su mamá termina rápidamente la conversación y lo castiga envián-
dolo «al rincón». Transcurrido el tiempo, la mamá le dice: «siento
mucho no poder hacer lo que quieras en el minuto en que lo desees,

pero cuando estoy ocupada en el teléfono no puedo interrumpir y atenderte, si no es por una emergencia. De manera que haremos lo siguiente: voy a poner estos lápices de colores y este papel en el cajón de la mesita del teléfono. Si necesitas algo cuando yo esté hablando por teléfono, abriré este cajón, sacaré los lápices de colores y el papel y tú te sentarás a dibujar hasta que yo cuelgue. Así tendrás algo divertido que hacer mientras esperas». Bien hecho.

Tercer ejemplo

Deseas quedarte a jugar, pero simplemente no podemos estar más tiempo. ¿Quieres ponerte furiosa y no poder volver, o decirte a ti misma que pasaste un rato agradable e irte ahora para poder volver en otra oportunidad? Bien hecho.

Si la sanción va a ser mala, mejor no sancionar

Hay que evitar que sea peor el remedio que la enfermedad, pues es mejor no sancionar que sancionar mal. La mala sanción genera resentimiento frente a quien reprende y aversión frente al castigo. La sanción por la sanción no construye mejores comportamientos. Es un error corregir en exceso, lo que vuelve al castigado inseguro y carente de autoestima. El castigo por el castigo no es nunca una forma de corrección pedagógica; al contrario, conduce a la ira y aminora el deseo de colaborar. Tampoco el castigo punitivo o justiciero es bueno: las reprimendas se convierten en una red de seguridad que impide a los niños asumir la responsabilidad necesaria. El niño reprimido termina pensando que la recepción de la reprimenda basta, que la reprimenda es el equivalente a la realización de la tarea.

El castigo consistente en la privación de actividades divertidas es más educativo. La sanción puede ser vivida como:

- Manía no relacionada con la forma de ser del infractor sino con la obsesión adulta de quien castiga.
- Desproporción respecto a la falta cometida.
- Prohibición injustificada, cuando no se explica por qué se sanciona.
- Desfogue o simple desahogo de una situación conflictiva.
- Expiación merecida.
- Forma de remediar un daño.
- Ocasión para la mejora.

Formas frecuentes de equivocarse al castigar

Los adultos (padres, educadores) no siempre tenemos la culpa de los traumas de los hijos. La inculpación absoluta ha ocasionado miedo de los adultos a fallar en la educación y, por paradoja, una dejación de la misma.

A veces castigamos en medio de la desorientación, del no saber qué hacer y nos mostramos indecisos. En ese caso, es mejor asesorarse antes.

A veces castigamos en exceso, con lo que insensibilizamos al castigado. Un castigo severo produce resentimiento y deseo de venganza. Actuamos sin serenidad, entre el miedo a no mandar y la violencia del mandar excediéndonos en el autoritarismo, que no parte de las necesidades concretas de mejora de los niños, sino de los gustos, prejuicios, afán de dominio y manías de los adultos.

A veces no castigamos, o castigamos por defecto, con lo que malcriamos niños que en el futuro tendrán problemas de adaptación a la realidad. Por miedo a la autoridad y por comodidad abdicamos, cayendo en el abandono, en la incongruencia o en la indiferencia y la permisividad. Pero más vale educar con deficiencias que no educar.

A veces no tenemos firmeza en la sanción por miedo a perder el afecto. Cuando esto sucede, tendemos a hacer dejación de la autoridad, pues el *no* y el *sí* son breves de decir y exigen pensar mucho. Sin embargo, debemos realizar las actividades necesarias para alcanzar lo decidido, aunque surjan dificultades salvables internas y externas: se trata de acabar bien las cosas.

A veces ante los conflictos pensamos que tenemos que pasarnos al terreno de los hijos o educandos para agradarles, por ejemplo, imitando las modas juveniles. Pero cada cual debe estar en su sitio. Los hijos y alumnos necesitan padres y maestros, no adultos maquillados. Renovarse por dentro es lo importante y lo que nos hará gratos a nuestros pequeños. Dar siempre una nueva oportunidad, rectificar si estamos equivocados, pedir perdón, disculpar, descubrir valores mejores, afrontar el reto y el afán de la vida que cada día se renueva. Eso es lo joven, y eso es lo adulto.

La sobreprotección compensatoria

Lo que no debemos hacer

Una variante del error al castigar es el paternalismo sobreprotector, que pretende sustituir al niño en su pensamiento, en su deliberación y hasta en su acción, en lugar de orientarlo, comprenderlo y exigirle de acuerdo con sus posibilidades. El autoritarismo es el abuso de autoridad, que puede llegar a la tiranía, olvidando que la fuerza, si bien hace andar, ella misma no anda.

La fortaleza no se logra cuando el adulto sobreprotege y sustituye al niño en los esfuerzos que éste debe realizar. Cuando el niño no pone nada de su parte para superarse, sino que todo se lo damos hecho, se vuelve más y más perezoso, lánguido, indiferente, pues no aprecia el valor que conlleva superar la tensión de la realidad, lo difícil. La vida carece para él de la dimensión de la energía. Por eso al llegarle la hora de la prueba, a la que nadie escapa, cuando no tiene ya junto a sí al adulto que todo se lo solucionaba, reacciona mal: o por exceso de energía incurriendo en temeridad, o por defecto de ella incurriendo en evasión y en derrumbamiento, y en ambos casos sin normalidad.

Pero si desde que el bebé llora por capricho, hasta que el adolescente se malhumora por nada, se les enseña exigiendo esfuerzo de autocontrol, es decir, dominio de la fatiga, poco a poco los niños aprenderán por su cuenta lo que les puede dañar y sabrán actuar siendo fuertes y aguantando lo necesario, y poco a poco emprenderán por propia iniciativa caminos de mejora que supongan un esfuerzo continuado.

Por miedo a la autoridad pervertimos el cariño en blandura y sobreprotección, no educando en la virtud de la fortaleza para resistir y para acometer empresas difíciles y valiosas.

Por falta de energía y de constancia perdemos la sana autoridad; somos vacilantes, indecisos, volubles, incongruentes, influenciables.

Por desavenencias entre padre y madre (y por falta de complementariedad entre padres y maestros) lanzamos mensajes contradictorios al niño, a quien desorientamos.

Así pues, para evitar que el niño de hoy sea el delincuente del mañana, tengamos en cuenta lo que no debemos hacer:

- Darle lo que quiera desde la infancia, como si tuviese derecho a todo *aquí* y *ahora*.
- Recoger todo lo que el niño arroja al suelo, como si los demás debiesen cargar con sus malas acciones.
- Defenderlo a capa y espada aunque no tenga razón, lo que le persuadiría de que todos actúan contra él injustamente.
- Celebrar sus malas palabras y su mala educación, pues así llegaría a ser un campeón de las groserías.
- Aplaudirle todo, pues cada vez que faltase el respeto a los demás se sentirá envalentonado.
- Fomentar en el niño la idea de que el hombre es un lobo para el hombre, porque así acabará relacionándose a dentelladas.

Protejamos al niño razonablemente, claro está, y con todo esmero.

Ustedes no poseen a sus hijos ni a sus alumnos

Pero, en cualquier caso, recordemos siempre que:

Sus hijos no son sus hijos.
Son los hijos y las hijas de la Vida, ansiosa por perpetuarse.
Por medio de ustedes se conciben, pero ustedes no los poseen.
Pueden darles su amor, no sus pensamientos, porque ellos tienen sus propios pensamientos.
Pueden albergar sus cuerpos, no sus almas; porque sus almas habitan en la casa del futuro, cerrada para ustedes, cerrada incluso para los sueños de ustedes.
Pueden esforzarse por ser como ellos, mas no traten de hacerlos como ustedes: porque la vida no se detiene en el ayer.
Ustedes son el arco desde el que sus hijos son disparados como flechas vivientes hacia lo lejos.
El Arquero es quien ve el blanco en su camino del infinito, y quien doblega a ustedes con Su poder para que Su flecha vaya rauda y lejos. Dejen que su tensión en manos del Arquero se moldee alegremente. Porque así como Él ama la flecha que vuela, así ama también el arco que se tensa.[7]

PARA NO TRAUMATIZAR AL ADULTO
QUE A VECES NO SABE CÓMO CASTIGAR

He ahí una lista de errores más o menos frecuentes en el proceso educativo de padres y de maestros.

Los adultos no debemos esperar a ser perfectos para exigir la práctica de la virtud (entonces nunca estaríamos a la altura); lo importante es que los niños nos vean luchar, y esforzarnos y tratar de rectificar humildemente.

Los adultos también somos seres humanos, y como tales también cometemos errores, pero lo correcto es reconocerlos y luchar contra estos tres frecuentes mecanismos de ocultación.

- Restarle importancia al hecho: «no creo tan importante lo que hice o estoy haciendo».

---

[7] Gibrán Jalil Gibrán, *El profeta, el loco, el vagabundo*, Akal, Madrid, 1985, p. 21.

- Negar la propia responsabilidad: «yo no tuve o no tengo la culpa, fueron o son las circunstancias».
- Negar haber cometido ese error: «yo no hice o no estoy haciendo nada malo...»

Los adultos también tenemos derecho a tomar decisiones sin justificarlas y sin sentirnos culpables de que no haya diálogo.

Las personas manipuladoras generalmente piden razones porque cuentan ya con la manera de rebatirlas. Sin embargo, frente a ellas, que no desean dialogar sino manipular, basta con decir: «no tengo por qué darte razones, simplemente no». Desgraciadamente, hasta el diálogo tiene sus límites: entre edades, desde luego.

Tenemos derecho a responder «no sé». Quizá a los niños más pequeños no, pero a los adolescentes podemos decirles «no sé», sin que nos ocasione sentimientos de culpa o humillación carecer de una respuesta acertada.

Y, desde luego, lo interesante no es buscar culpables, sino saber estar a la altura: «amigo, no sé quién de los dos ha tenido la culpa de que chocáramos, pero no estoy dispuesto a perder el tiempo tratando de averiguarlo. Si la culpa ha sido mía, te pido perdón; si ha sido tuya, olvídalo».

Quien amablemente muestra el camino al que anda perdido ha de saber que al iluminar a otro con la propia luz no la pierde, la desdobla y multiplica. Así pues, corrijamos y aconsejemos a nuestros amigos en privado, pero alabémoslos y aplaudámosles en público.

UTILIZAR LOS «MENSAJES-YO»

No es lo mismo decir «mi papá me saca de mis casillas con sus cosas», que decir «mi papá está insistiendo en que coma más y voy a vomitar»; no es lo mismo decir «Esther no se responsabiliza», que decir «Esther deja los libros desordenados». Frente a este mensaje-tú destructivo mejor nos iría empleando mensajes-yo.

Son mensajes-yo los que usan formas positivas para poner de manifiesto situaciones negativas, los que sin agresividad dejan al descubierto el motivo del problema, pero sin decir qué debería hacer el otro para resolverlo; de forma no autoritaria y sin amenazas se le concede la oportunidad para que rectifique pues se le informa cuáles son las razones por las cuales está causando el problema. De este modo, en lugar de utilizar el «hubieras» u otro tipo de reclamos sordos o inútiles, y en lugar de propiciar comparaciones con otras personas u otras experiencias, el mensaje-yo debería decir: «Esther, hay demasiado ruido y no puedo leer», o «me siento aturdido y frustrado por este griterío», «me siento mal a causa de las peleas entre ustedes», «sentí que a nadie le importaba el estado de nuestra casa cuando vi el desorden que dejaron en la cocina; tal vez esperaba demasiado», «no te entendí bien», «no me he explicado bien».

Para que sean eficaces, los «mensajes-yo» deben ser sinceros. Eso supone arriesgar a descubrirse a sí mismo, asumir la propia responsabilidad sin echar la culpa hacia afuera, reconocer la posibilidad de automodificación, etc. Pero vale la pena arriesgarse. De este modo:

- Evito descargar mis nervios en ti.
- Describo tu comportamiento poniendo de relieve la causa de mi propia preocupación y problema.
- Señalo el efecto real y concreto que tiene tu actuación en mí.
- Manifiesto los sentimientos que tu forma de actuar me produce, de modo que te enteres claramente.
- Indico cuál es la actitud que deseo que adoptes.
- Asumo la propia responsabilidad sin echar la culpa afuera, reconociendo mis propios límites, e incluso la posibilidad de su automodificación.
- No hiero nuestras sensibilidades.
- Facilito las discusiones en forma relajada.
- Evito respuestas emocionales de irritación u hostilidad.
- Estimulo la comunicación.
- Ayudo a tener confianza en nosotros mismos, facilitando la identificación y aceptación de sentimientos profundos.
- Libero la relación convirtiéndola en positiva, llenándola de cordialidad, comprensión y madurez.

Si todo eso se da, entonces voy a poder mostrarte el credo de mis relaciones.

EL CREDO DE MIS RELACIONES.
CREO EN NUESTRA POSIBLE RELACIÓN

Tú y yo vivimos en una relación que valoro y quiero conservar. Sin embargo, cada uno de nosotros es una persona diferente con sus propias y únicas necesidades y el derecho de satisfacerlas.

Cuando tú tengas problemas para satisfacer tus necesidades, trataré de escucharte con una aceptación auténtica para facilitar el encuentro de tus propias soluciones, en lugar de depender de las mías. De la misma manera, trataré de respetar tu derecho a escoger tus propias creencias y a desarrollar tus propios valores, aunque sean diferentes de los míos.

Cuando tu actividad interfiera con lo que debo hacer para la satisfacción de mis necesidades, te comunicaré abierta y honestamente cómo me afecta tu conducta, confiando en que tú me respetes suficientemente para cambiar la conducta que me es inaceptable. De la misma manera, cuando alguna de mis conductas sea inaceptable para ti, espero que me digas abierta y honestamente tus sentimientos. Te escucharé y trataré de cambiar.

En las ocasiones en que descubramos que ninguno de los dos puede cambiar su conducta para satisfacer las necesidades del otro, reconozcamos que tenemos un conflicto que requiere una solución. Comprometámonos a resolver cada uno de estos conflictos sin recurrir al uso del poder o de la autoridad para tratar de vencer a expensas de la derrota del otro. Yo respeto tus necesidades, pero también quiero respetar las mías: ninguno será derrotado; ambos venceremos.

De esta forma, tú podrás continuar tu desarrollo como persona mediante la satisfacción de tus necesidades, y yo también podré hacerlo. Nuestra relación podrá ser suficientemente saludable para que en ella cada uno de nosotros pueda esforzarse por llegar a ser lo que es capaz de ser. Y podremos continuar relacionándonos con respeto, benevolencia y paz mutuos.

Recuerda con frecuencia este credo. Ponlo en un lugar bien visible de la casa, del trabajo, de la escuela. Reléelo con frecuencia y analiza si actúas así o no. Haz que lo lean también los demás: hijos, alumnos, amigos, compañeros. Coméntalo con ellos. Aplícalo a casos y situaciones concretas. Extrae conclusiones. Evalúa también junto con los otros y a la luz de ese credo cómo van tus relaciones. Y disfrútalas.

DECÁLOGO QUE RESUME LA DISPONIBILIDAD DIALÓGICA

1. Sonríe siempre, por favor.
2. Cuando mandes o pidas algo, siempre con respeto y delicadeza.
3. Si te respetas a ti mismo, respetarás a toda la humanidad en ti.
4. Obra de tal modo que la actitud de rechazo no sea tu forma habitual de comportamiento.
5. Evita a los demás todas las malas experiencias que puedas.
6. Es de sabios rectificar.
7. Tu disponibilidad ayuda a los demás a estar disponibles; cuando tú te indispones, indispones al prójimo respecto de su prójimo.
8. Que tus debilidades sean la generosidad y el perdón.
9. Mira y valora, por encima de todo, los gestos de disponibilidad ajena.
10. Sólo se posee lo que se regala.

LAS NECESARIAS REGLAS
SANCIONADORAS DE LA ABUELITA

Orden de prioridades

Primero la obligación, luego la devoción. Primero asumir las responsabilidades, sean cuales fueren en cada momento del crecimiento; luego los juegos. Que el niño haga lo que tiene que hacer antes de hacer lo que quiere hacer.

Orden de expectativas

No es primero «¿y qué cosas gano yo?» (la expectativa de dulces, dinero o recompensas materiales similares) sino «¿qué es bueno para mí?» Las normas de comportamiento que los niños siguen deben ser aceptadas internamente y recompensadas por los buenos sentimientos.

Orden de actitudes

En vez de quejarse tanto, piensa en las cosas buenas que han sucedido hoy. Pero «si eliges quejarte y desperdiciar tu energía de esa manera, tendrás que hacerlo solo, en tu cuarto».

Orden de recompensas

Sentirse orgulloso del esfuerzo realizado es anterior a la expectativa del logro de recompensas.

Orden de incentivos

La regla de la abuela «si haces esto puedes hacer aquello» reafirma la importancia que para el progreso tiene el cumplimiento (o quebrantamiento, si es retroceso) de las obligaciones, así como la responsabilidad de las decisiones.

Orden de castigos

No es cierto que la abuelita no castigue, pero castiga adecuadamente, sin ensañarse. Para ayudar a los niños a comportarse dentro de los límites, exige el cumplimiento de las normas y permite que las consecuencias naturales de no hacerlo, tales como perder privilegios, actúen como recordatorio para los niños.

Orden del sentido de premios y castigos

Elogiar al comportamiento y no al niño. Premios y castigos no han de dirigirse a la persona, sino al hecho realizado (u omitido): no se premia a un niño por ser inteligente, sino por haber hecho un trabajo o un examen brillante; no se castiga a un alumno por ser deficiente, sino por no haber hecho lo que podía. Nunca debe decirse: «eres un tonto», sino «puedes hacerlo mejor».

Orden de intervención

No se involucre en las disputas infantiles. Cuando los niños entran en conflicto, tomar partido o tratar de ir al fondo del problema puede ser peor en ese momento. Más bien, ayude a que las partes sepan que están contribuyendo al mismo conflicto con su enfrentamiento, y que ellos deben poner punto final al mismo. Pregunte: «¿cuál es el problema?, ¿qué se puede hacer cuando esto ocurre?, ¿qué esperarían que ocurriera si ustedes hicieran eso? Ensayen la solución que escogieron para ver si da resultado».

Cuando los niños cruzan la línea hacia el comportamiento prohibido no hay que esperar a que comprendan lo que han hecho, hay que hablar para ayudar a que entiendan las implicaciones de su comportamiento mientras está reciente y fresco en sus mentes.

Orden de exigencia de responsabilidad

Cuando los adultos recuerdan insistentemente a los pequeños qué deben hacer, ellos saben que si no hacen lo que se espera alguien se los recordará. Más aún: generalmente resulta más fácil para ellos soportar el desagrado que produce la insistencia de los padres, que aceptar la responsabilidad derivada de los actos propios.

Para enseñar esta virtud sin convertirse en una grabadora, utilice una lista que sirva de recordatorio de lo que hay que hacer y exija que su cumplimiento sea un requisito para que el niño pueda hacer luego lo que él quiera.

ENSEÑAR EL ORDEN

Toda persona adulta caótica lo es porque vivió desordenadamente su periodo sensitivo, entre el primero y tercer año de vida, periodo en que el niño aprende que cada cosa tiene su lugar. Muchas pérdidas de tiempo proceden de desórdenes y de la mala educación temporal de la infancia. Impuntualidades, prórrogas interminables, aplazamientos que finalmente no concluyen, etc., vienen de tiempo atrás. Nunca se ponderará bastante la importancia de esto.

Y si el ejemplo es fundamental en todo, en materia de orden lo es más aún. De padres desordenados, hijos caóticos. Una mesa de trabajo adulta en total confusión producirá una mesa de trabajo infantil igual a la adulta.

El orden es el desarrollo de los hábitos. El ordenado se comporta de acuerdo con normas lógicas, necesarias para el logro del objetivo deseado; distribuye su tiempo según los fines propuestos y realiza sus actividades con sentido de lo que hace y por iniciativa propia, sin que sea necesario que nadie se lo recuerde. El orden nos ayuda a disponer de más tiempo, a ser más eficaces, a aumentar el rendimiento y a conseguir los objetivos propuestos. Nos proporciona seguridad, tranquilidad, confianza. Nos evita disgustos y contratiempos. Nos ayuda a ser más felices con menos esfuerzo. El orden es enemigo del caos y del azar, de la ausencia de ritmo, de la impuntualidad. El orden pide razón, lógica, coherencia interna: principios, medios, fines. Pide método. Pide sistema: autopista bien señalizada con unas reglas de juego comunes a los usuarios, donde no tienen lugar los riesgos innecesarios de la arbitrariedad. Pide objetividad: regularidad, organización, reiteración, sencillez.

Orden en el espacio y orden en el tiempo

Podemos distinguir el orden en el espacio y el orden en el tiempo, ámbitos de la existencia humana.

Ordenar el espacio

Como ya se ha dicho, los adultos dejarán a los pequeños algún reducto privado para que ellos lo ordenen, (por ejemplo, «su» cajón). Esto es primordial en la adolescencia: su intimidad, su pudor, su yo. Si tienen habitación propia, que la decoren a su gusto.

El niño no tiene la misma noción del espacio que el adulto. Para él ordenar sus pertenencias puede significar amontonarlas dentro del armario y cerrar luego la puerta, lo que significará que al reabrir-la todo se le venga encima, cosa que recibirá con sorpresa. Esto es así porque su capacidad analítica del espacio todavía no atiende al detalle, y ordena por montones. En la etapa siguiente esos montones pasarán a ser montones homogéneos: todos los coches juntos, todas las muñecas juntas, los libros grandes a un lado, los pequeños a otro, e incluso los niños con los niños y las niñas con las niñas.

El niño de corta edad es capaz de disfrutar del orden y de la estabilidad en el ambiente que lo rodea. Poco a poco aprenderá en ese ambiente (y sólo en ese ambiente) a guardar sus juguetes en el mismo lugar, a conservar las cosas en orden, pero para eso hay que jugar muchas veces el juego de colocar las cosas en el mismo lugar y en el mismo orden. Cuando llegue a aprenderlo, disfrutará del juego del orden: cada cosa en su sitio. Al jugar al escondite se esconderá en el mismo sitio, al dormir dormirá en el mismo sitio, etcétera.

Pero esto hay que enseñarlo, porque no es innato: poner su ropa sucia en la canasta, tender su cama, colgar su toalla después del baño, ordenar su cuarto. Una manera excelente es animarlos a «jugar a ayudantes», invitándolos a participar en las actividades adultas. Se les nombra secretarios que ayudarán a ordenar libros de la biblioteca, a limpiar y ordenar utensilios de la cocina, etc., celebrando sus pequeños aciertos. Poco a poco (¡paciencia!) aprenden a dedicar un lugar para cada cosa, y cada cosa en su lugar, distinguiendo según la funcionalidad entre lo usual ordinario y lo accesorio extraordinario. Las cosas deben colocarse según la lógica, es decir, de acuerdo con la naturaleza y la función del objeto.

Enseñe a usar adecuadamente cada cosa para lo que está hecha. Si un niño utiliza la escoba para brincar con ella, o el paraguas para abrir un cajón atascado, cuando sea mayor terminará matando moscas a cañonazos, desaprovechando recursos y gastando tiempo excesivo. Enseñe a cuidar las pertenencias para no dañarlas, a cuidarlas sin maltratarlas.

Desde luego, también enséñelo a cuidarse a sí mismo, para no hacer un uso inadecuado del propio cuerpo.

El orden es armonía, elegancia, belleza, higiene, sobriedad (sin desperdiciar ni derrochar: aprender a vivir con poco pero bien usado, no malgastar hojas de los cuadernos, lápices, etcétera). Enséñelo a cuidar, no a derrochar.

Ordenar el tiempo

En la vida infantil no existen motivos importantes para esforzarse durante mucho tiempo. Por esto, cuando se cansan, dejan de realizar la actividad que traen entre manos para pasar a otro asunto.

Los niños no miran a lo lejos ni se plantean problemas que no sean a corto plazo. A un niño hay que orientarlo hacia objetivos a corto plazo, pues el infante apenas sabe del mañana, y menos aún del pasado mañana. El tiempo del adulto tiene una prospectiva, una expectativa y una retrospectiva de las que carece el tiempo infantil. El tiempo infantil es casi puntual, limitado al *aquí* y al *ahora*. Por esto mismo una motivación al comienzo del curso tal como «si sacas buenas calificaciones al final de curso te compraremos una bicicleta» resultará poco efectiva por ser tan lejana. Más efectivo será ayudar materia por materia y evaluación por evaluación, día a día.

En este sentido, en lo que se refiere a los valores y a la adquisición de hábitos virtuosos, habrá que:

- Proponer al niño que intente desarrollar un aspecto de alguna virtud concreta durante un periodo de tiempo; por ejemplo una semana, quince días o un mes.
- Abarcar poco. El niño no puede luchar en muchos frentes a la vez; será mejor que concentre su esfuerzo en pocas cosas: es mejor esforzarse mucho en poco, que poco en mucho. Y mucho, a la medida del niño, nunca a la medida del adulto.
- Comprobar que el niño es capaz de realizar las actividades necesarias para alcanzar el objetivo propuesto y, en caso de necesidad, enseñarle a cumplir o a modificar dicho objetivo, que siempre habrá de plantearse en función de las capacidades concretas del niño en cuestión. En este sentido, al poner las metas hemos de conocer las dificultades que el niño encontrará, y los obstáculos que se le interpondrán. Si queremos que no se desanime, tendremos que adiestrarlo, sobre todo anticipando de alguna forma los obstáculos para entrenarlo en ellos, pues resulta más fácil defenderse del enemigo previendo su aparición.
- Ayudarlo con acciones y sugerencias a relacionar esas actividades con los objetivos pretendidos. Ayudar a un niño es eso, ayudarlo, no sustituirlo. Toda ayuda innecesaria es una limitación para quien la recibe. El exceso de ayuda puede producir pereza; la carencia de ayuda, desánimo. La virtud, en el justo medio. Cuanto menor el niño, mayor su necesidad de orientación. Que haga sus tareas por sí mismo.
- Enseñarlo a pedir: ni mucho (niño pedigüeño), ni poco (niño reservado). Pedir también necesita un aprendizaje y un discernimiento. Poco a poco, el niño debe aprender a pedir y a saber a quién puede pedir.
- Explicarle el sentido de las acciones cotidianas: el niño desor-

denado no encuentra sus cosas, pierde las llaves, daña los utensilios, desperdicia el tiempo, es impuntual, no termina lo que ha empezado, usa los utensilios para lo que no fueron destinados, no se fija cómo deja su lugar de trabajo, de juego o de descanso, no retoma la lectura donde la dejó y por eso se ve obligado a recomenzar permanentemente, etc. Es mejor que vea lo conveniente que es ordenar su cuarto, su aula (armarios, mesas de estudio, material de trabajo, libros, carpetas, cuadernos, etc.), llegar puntualmente, adoptar hábitos de limpieza y aseo en el vestir, pulcritud, que es también respeto a los demás, cuidar de las cosas de los demás como si fueran propias, llevar al día los apuntes, no dejar nada para mañana, terminar los juegos iniciados, cumplir las promesas razonables, terminar la comida, realizar las tareas, cumplir los encargos, etcétera.

- Desarrollar un sentido positivo del orgullo: sentir la grandeza de lo que se ha propuesto, así como de su buen logro. Lo que él hace es muy importante.
- Fortalecer su amistad con los adultos, y las gratificaciones derivadas, especialmente la de sentirse bueno: el hábito del bien a través de los buenos hábitos.
- Perseverar. La perseverancia que conduce a los hábitos y al orden tendrá que partir de la exigencia de los adultos: orden de la coherencia interior y de la convivencia exterior. Orden y rigor mental se traduce en cuidado con las cosas. Hábitos de orden y disciplina vital mediante un mínimo de normas de obediencia y colaboración: educación del carácter acompañada de una exigencia cariñosa, paciente y flexible.

Tiempo de orden y de estudio

Por lo que se refiere al tiempo mínimo de estudio disciplinado después de las horas escolares, parece (con la siempre necesaria flexibilidad, según el niño) que podría ser más o menos el siguiente:

- Primaria (primero y segundo: media hora diaria; tercero y cuarto: una hora, con pausa o intervalo; quinto y sexto: una hora y media con pausa o descanso).
- Secundaria: dos horas diarias, con descanso.
- Preparatoria: tres horas diarias, con pausas.
- Escuela superior o facultades universitarias: cuatro horas cada día.

REGLAS DE ORDEN

Los niños que viven en un mundo sin reglas claras tienden a ser impulsivos y ansiosos. Las reglas deben exponer qué se quiere que los niños hagan y no lo que se quiere que no hagan.

Es mejor hacer las cosas menos agradables, pero más necesarias, en primer lugar: ordenar las cosas de acuerdo con lo que es prioritario en cada momento. Entre otras, éstas pueden ser las posibilidades al respecto:

• Actividades que regularmente requieren una actuación en cadena: saludar a los padres, colgar el abrigo, lavar las manos, acercar las sillas a la mesa, sentarse para comer. Otra cadena podría ser al acostarse. Siempre se debe considerar alguna flexibilidad en caso necesario: no educamos autómatas.
• Actividades que cuestan tiempo y hay que programar de antemano: antes de ver la televisión habrá un tiempo de estudio, pues no se puede dejar la tarea a medio hacer.
• Actividades que pueden durar mucho tiempo pero no continuo: aprender a tocar la guitarra, coleccionar sellos, etc., donde la perseverancia a largo plazo se hace más necesaria.
• Actividades de duración variable y factibles en cualquier momento: por ejemplo, limpiar los zapatos. Sin un momento preestablecido al efecto, terminarán por no hacerse o por hacerse coactivamente y a destiempo si son displacenteras. Cuando son placenteras, por el contrario, tienden a proliferar si no se controlan, agotando entonces el tiempo de las demás obligaciones, y por eso conviene programarlas.
• Actividades periódicas pero infrecuentes o realizables ocasionalmente en una fecha dada: felicitar por un cumpleaños, etc. Caminar hacia el uso de la agenda: pocas son las personas con una memoria tan buena que no necesiten ayuda alguna.
• Actividades esporádicas; por ejemplo, recortar con tijeras. Entonces hay que enseñar a dejar en su sitio las tijeras nada más se termine de recortar.

EL ORDEN, EN LUCHA CONTRA LA PEREZA

Hay tres posibilidades, la primera no debe utilizarse: mandar continuamente, de forma que los niños aprendan a esperar que se les diga qué hacer. Nos quedan, pues, dos posibilidades.

La primera, más adecuada para niños muy pequeños, es dirigirlos; a los niños que todavía no saben leer se les puede dar una lista de dibujos.

La segunda, marcar objetivos permitiendo que el niño decida cuándo y cómo los llevará a cabo. Se trata de enseñar a hacer cosas sin acosar: un exceso de agobio termina fatigando, estresando y creando aversión. La saturación impide aprender.

Los niños son creativos, actúan con imaginación movidos por fuerzas que surgen de su interior. No debemos coartar su creatividad, siempre que ésta no sea lesiva para los demás o para sí mismo. El niño aprende a definir los problemas y a escribir luego una lista con el mayor número de soluciones posibles, para que elija la mejor. Luego, el adulto debe supervisarla.

Para reforzar los hábitos de orden lucharemos contra la pereza. Que tu mamá no te tenga que llamar dos veces. No te laves nunca «como los gatos». Sé siempre muy puntual a clase. Obedece inmediatamente a cualquier orden de tus padres y superiores. Ve siempre a clase con los deberes hechos. Si te esfuerzas poco a poco, irá desapareciendo de ti esa vieja malvada que es la pereza. Ella logra que llegues tarde al colegio. Que te distraigas al estudiar. Que huyas del esfuerzo. Que dejes las cosas de cualquier manera. Que los demás hagan las cosas que podrías hacer tú. Que sufran tus padres, sufran tus profesores y acabes sufriendo tú mismo porque te riñen, te ponen malas calificaciones, te castigan. La pereza tampoco te va a servir de nada cuando seas mayor.

EL ORDEN Y LA ENSEÑANZA DE LA OBEDIENCIA

La obediencia comienza a enseñarse desde el principio de la vida, al nivel del desarrollo que lo soporte cada nivel de desarrollo psicofísico. Orden y obediencia van juntos, ya que no hay obediencia sin orden, ni orden sin obediencia.

No tiene muy buena prensa la obediencia en nuestros días, y sí la libertad; sin embargo, no hay libertad que no sepa obedecer, ni obediencia que merezca la pena si no sabe ser libre. Y a todo eso se educa, pues nadie nace enseñado.

Efectivamente, cuando un niño pequeño choca contra una mesa por inadvertencia y se lastima, hay adultos que para consolarle golpean la mesa al tiempo que dicen: «mesa, mala». Si este comportamiento o cualesquiera otros similares se repiten, el niño tenderá a pensar que el mundo que le circunda es malo siempre que él tiene un choque, en lugar de aprender a caminar con más atención para evitar el percance. Así pues, el niño necesita saber que puede equivocarse, y rectificar los fallos. Para eso obedecerá unas pautas de conducta que, cuando es muy pequeño, le son suministradas por los mayores. Éstos tienen la misión de ayudarle a interiorizar las reglas que van a permitirle actuar correctamente.

A veces el peligro no está en desobedecer, sino en obedecer con criterios de mera exterioridad, quedándose en la obediencia superficial, externa a la conciencia, lo cual es propio de los estadios de desarrollo moral menos evolucionados. Esto sería muy malo, pues no se trata de que el niño obedezca sin más, sino de que según vaya creciendo obedezca con criterio cada vez más moral, más interiorizado, consciente de que la verdadera obediencia es una virtud muy importante para todo.

Y, si esto es así, entonces no bastaría promover:

Una obediencia ciega que produce mera paz porque pone de manifiesto que quien manda es el adulto y que por eso todo está en orden.

Un cumplimiento rutinario, exclusivamente exterior.

Un centrarse en aquellos mínimos que propician la apariencia de obediencia.

Una realización de la tarea ligada a la crítica a quien ha dado la orden.

Una exhibición de excusas y apoyaturas en contraórdenes («antes me dijiste que no», «mamá me dijo lo contrario»).

Un ejercicio de la tarea que sólo busca la recompensa, o la vanagloria.

Capítulo 6

El niño hasta los seis años

ADVERTENCIA GENERAL MUY IMPORTANTE

Desde que se nace hasta que se muere, la vida humana se desarrolla a través de estadios evolutivos, cada uno de ellos dotado de específicas y diferenciadas características motoras, afectivas e intelectuales. Todos los manuales de psicología evolutiva ponen de relieve esta graduación entre ellos, y es lógico que así sea.

Sin embargo, no hay nada más injusto y peligroso que establecer cortes radicales, mecánicos, entre esos estadios evolutivos, ya que el anterior conserva al posterior y lo desarrolla. Entre estadio y estadio no se da un «borrón y cuenta nueva».

Y si entre estadio y estadio no hay que establecer cortes drásticos, mucho menos entre cada uno de los años que esos estadios abarcan, ya que un tenue e invisible hilo conductor une cada uno de nuestros días y de nuestras horas. Esto deben tenerse especialmente en cuenta cuando hablamos de educar en valores, pues no es que en primer curso de primaria haya unos valores y en segundo otros completamente distintos, sino los mismos profundizados. Valores nuevos surgen, sí, pero no de un curso escolar para otro. Valores nuevos surgen, ciertamente, pero de la profundización y el desarrollo de los viejos: son como el buen vino, que para envejecer ha de perseverar: ni las personas ni las instituciones dan saltos en el aire de la noche a la mañana. Los nuevos valores que –por ejemplo– van despertando en quinto de primaria no hubieran podido surgir sin la elaboración callada, sobria, paciente y progresiva de los valores cultivados en primero de primaria. Hasta podría decirse sin notoria exageración que, de algún modo, todo se conserva y todo se transforma desde la cuna hasta la tumba. En ese proceso, de cuando en cuando situaciones cualitativamente nuevas emergen, pero esa emergencia es debida al lento, al silencioso, al respetuoso, al callado día a día en que lo nuevo se fue fraguando. Lo que el árbol tiene de florido vive de lo que tiene sepultado.

Quisiéramos también enfatizar y subrayar algo, aunque por otra parte padres y educadores lo sepan más que de sobra. Junto a la psicología evolutiva, que nos habla de los distintos estadios de desarrollo, está la psicología diferencial, que –como su nombre indica– establece las diferencias entre pueblos, ambientes, etc., a pesar de que a la vez vivamos en una aldea global y de que se postule un dudoso pensamiento único. No es igual la dificultad que afronta un niño de la calle o un niño pobre, que un niño en cuya familia los padres universitarios hablan correctamente, tienen buenos hábitos higiénicos, laborales, etc. Y esto, no porque el niño pobre sea más torpe que el rico, ni a la inversa.

En lo que respecta a la educación en valores, esto es algo que se palpa inmediatamente. Niños de una misma edad se comportan de forma distinta según el ambiente social, económico, político, cultural, religioso, etc. Lo cual, dicho sea de paso, nos sirve para recordar a padres y maestros que los valores no son una «materia» aparte, sino absoluta y totalmente transversal, algo que impregna a la sociedad aunque ella no lo «valore», o ni siquiera lo perciba. Dicho más técnicamente, la axiología conserva siempre un carácter criptocurricular pues, a pesar de hallarse permanentemente presente, siempre lo está de forma irreductible a la mera calificación académica: alguien podría saber muchísimo sobre valores, pero al mismo tiempo adoptar comportamientos axiológicos sumamente inadecuados.

Por último, y para no hacer demasiado extensa esta advertencia, junto a la psicología evolutiva y la diferencial está la psicología individual. Cada niño es un mundo. A veces se dan más similitudes entre un niño de 10 años y otro de 13, que entre dos niños de 10. Cada niño tiene su ritmo, su especificidad, su irreductibilidad. Felizmente no somos números, ni anónimos intercambiables. Esto, por contrapartida, hace más difícil el arte de la axiología, pero también más apasionante. Es tarea de toda la vida, y de muchas vidas: es tarea de toda la humanidad.

Ciertamente estaríamos ciegos y faltaríamos a la verdad si no reconociésemos que hay niños más torpes y niños más listos, más indóciles y más dóciles, etc. Pero más faltaríamos a la verdad, y más contribuiríamos a la ceguera axiológica, si para concluir no añadiésemos que los mejores padres y educadores en valores dedican más de lo que son a que sean más los que menos parecen poder ser.

TAXONOMÍA DE KOHLBERG. ESTADIO UNO: CASTIGO Y OBEDIENCIA NO CUESTIONADA (5-6 AÑOS)

Tras el estadio cero del razonamiento egocéntrico (3-5 años), donde lo correcto es lo que yo quiero, y el motivo para ser bueno es obtener premios y evitar castigos, en este estadio tenemos lo siguiente.

- *Lo correcto*: lo que me dicen mis padres y profesores.
- *Motivo para ser bueno*: evitar problemas.
- *Actitud*: atenencia literal a la norma y a la autoridad, para evitar el castigo.
- *Conducta*: oscilante entre la tendencia a afirmar los propios derechos, y a obedecer y cooperar.
- *Sabiduría*: los adultos lo saben todo, y siempre se las ingenian para conocer las acciones de los niños.
- *Maldad*: si algo malo ocurre es porque se ha hecho algo malo para merecerlo.
- *Desobediencia*: se desobedece por no entender la necesidad de reglas.

TAXONOMÍA DE PIAGET. ESTADIO EGOCÉNTRICO: INTELIGENCIA INTUITIVA, REPRESENTACIÓN PREOPERATORIA. SEGUNDA INFANCIA (4-5/6 AÑOS)

Los niños juegan solos, sin preocuparse por encontrar compañeros de juego, o con otros niños pero sin intentar dominar sobre ellos ni uniformizar las distintas formas lúdicas. Incluso cuando juegan juntos, cada uno lo hace para sí (todos pueden ganar a la vez) y sin preocuparse por la codificación de las reglas. Además de las pocas conversaciones reales durante las cuales se intercambian realmente opiniones u órdenes, se observan seudoconversaciones («monólogos colectivos»), durante las cuales los niños hablan sólo para sí mismos aunque sienten la necesidad de tener un interlocutor que les sirva de estimulante.

Cada uno se sabe en comunión con el grupo, porque se dirige interiormente al adulto que lo sabe y lo comprende todo, pero también cada cual se ocupa sólo de sí mismo.

El niño tiene la impresión de someterse a una ley sagrada e inmutable dada por los mayores, sus propios padres. El egocentrismo infantil, presocial, va unido a la obligación impuesta por los adultos, lo que implica un elemento de respeto unilateral a la autoridad y al prestigio, ajenas a su conciencia.

LOS CINCO AÑOS

La autoridad moral adulta, por encima de la justicia

Justicia inmanente: tres de cada cuatro niños creen hasta los ocho años en una justicia automática que emana de la naturaleza física y de los objetos inanimados. La creencia en esta justicia inmanente proviene del traspaso a las cosas de los sentimientos adquiridos bajo la influencia adulta.

Justicia adulta: es exactamente lo que se conforma a las consignas impuestas por la autoridad adulta, aunque el niño considere injustos algunos modos de ser tratado: cuando el adulto no respeta él mismo las reglas que ha trazado para el niño (castigar una falta no cometida, prohibir algo que antes había permitido, etcétera). Pero si el adulto se ciñe a sus propias reglas, todo lo que prescribe se considera justo.

Incluso en las relaciones entre niños, la autoridad del mayor es más importante que la igualdad. Lo justo se confunde con lo impuesto por la ley, y la ley es totalmente heterónoma e impuesta por el adulto. Un ejemplo:

–¿Los niños tienen el mismo derecho que las personas mayores?
–Los pequeños no tienen tanta prisa como los mayores, los mayores tienen muchas cosas que hacer y llevan prisa, yo quiero ser mayor para poder mandar.

Castigo necesario: toda punición se admite como perfectamente legítima, necesaria, e incluso constitutiva de la moralidad: si no se castigara la mentira, estaría permitido mentir. La autoridad está por encima de la justicia.

No delatar; sí castigar: lo importante no es delatar; al contrario, esto constituye una falta; lo importante es que nos hagan justicia. Para ello la venganza es un mal, esencialmente porque está prohibida. No hay que devolver el mal por el mal, pero se puede hacer que el adulto castigue al culpable.

Ley del talión: la sanción privada se manifiesta en devolver el mal por el mal, y el bien por el bien. Ahora, ¿esta venganza será susceptible de someterse a unas reglas y, en esta medida, de parecer legítima? La mayoría de los pequeños y algunos de los niños ya mayores consideran que no hay que vengarse, pues existe un medio más legítimo y al mismo tiempo más eficaz de obtener una reparación: apelar al adulto.

Justicia inmanente o realismo moral

Durante los primeros años, el niño debe admitir la existencia de sanciones automáticas que emanan de las cosas en sí mismas.

Pedimos al niño que compare dos mentiras: contar a su mamá que ha tenido buena calificación en el colegio cuando no le han preguntado la lección, o contar a su mamá que un perro que le ha asustado es tan grande como una vaca: ¿cuál de ellas es peor? La primera es «menos fea» porque a veces ocurre que a uno le ponen una buena calificación y, sobre todo, porque la mamá quizá se deje convencer por la verosimilitud de la mentira; la segunda, en cambio, es «más fea» y merece un castigo ejemplar, ya que «no existen perros tan grandes».

Éste es el realismo moral, el que surge independientemente de la intención del sujeto.

Seudomentiras

Hasta los siete u ocho años, el niño, en virtud de su egocentrismo intelectual inconsciente, se ve llevado espontáneamente a alterar, transformar y deformar la verdad en función de sus deseos y fantasías, y a ignorar el valor de la veracidad. Sin mentir por mentir, es decir, sin buscar el engaño y sin siquiera tener una conciencia clara de él, altera la realidad en función de sus deseos y su fabulación.

Para el niño una proposición tiene menos valor de afirmación que valor de deseo; sus narraciones, testimonios y explicaciones deben ser considerados como expresión de sus sentimientos más que como creencias susceptibles de verdad o falsedad: es la seudomentira. La regla de «no mentir» impuesta por el adulto le parece sagrada, aunque en realidad no corresponda a una necesidad auténtica e interior de su espíritu.

En cuanto al juicio de la responsabilidad, cuanto más lejos queda la mentira de la realidad, con independencia de la intención, más grave es.

La mentira está prohibida aunque no sabe muy bien por qué, pero la razón más invocada por el niño pequeño para no mentir es que no hay que hacerlo porque «nos castigan»: el niño es tanto más malo cuanto antes se le riñe («me castigan, luego soy malo»). La mentira es mala porque está castigada, y si no se castigara no sería mala. Es la responsabilidad objetiva en estado puro.

Mentir a los amigos no es «feo», pero sí a los mayores, ya que éstos son quienes lo prohíben. A la pregunta «¿es lo mismo decir mentiras a los mayores que a los niños»?, los pequeños responden que es peor «a los mayores, porque saben que no es verdad», y a los niños «está permitido porque son más pequeños». De ninguna manera hay que interpretar estos hechos como si el niño fuese cínico. No quiere decir que sea suficiente con escapar a la sanción para ser inocente, sino simplemente que el castigo es el criterio de gravedad de la mentira. Es simplemente la heteronomía en su forma más ingenua.

Castigos

Los castigos expresan la moral de heteronomía del deber: la des-obediencia de los pequeños provoca la indignación de los mayores que se concreta en castigo, haciendo que el niño considere legítima esta reacción del adulto en la medida en que ha roto la relación de obediencia y en la medida en que el sufrimiento impuesto es propor-cional a la falta cometida.

Cualquier otra sanción es incomprensible, puesto que no hay re-ciprocidad entre el que ordena y el que obedece. El castigo se impone desde fuera a la conciencia del niño transgresor. El único medio de volver las cosas a su sitio es conducir al individuo a la obediencia por medio de una coerción suficiente y sensibilizar la censura acom-pañándola de castigo: el niño bien castigado no reincidirá, porque ha comprendido la autoridad de la regla.

No existe relación entre el contenido de la sanción y la naturaleza del acto sancionado. Poco importa que, para castigar una mentira, se inflija al culpable un castigo corporal, o que se le prive de sus jugue-tes o se le condene a un pesado trabajo escolar: lo único necesario es que haya proporcionalidad entre el sufrimiento impuesto y la gravedad del delito.

Por infantil que sea, esta actitud subsiste en muchos adultos, favorecida por ciertos tipos de relaciones familiares o sociales.

apítulo 7
El niño
de seis-siete años

TAXONOMÍA DE KOHLBERG. ESTADIO DOS: INTERCAMBIO INDIVIDUAL INSTRUMENTAL. OJO POR OJO (6/7 A 9 AÑOS)

Lo correcto: lo que me conviene, pero debo ser correcto con quienes lo son también conmigo.

Motivo para ser bueno: mi propio interés.

Todos pueden tener un punto de vista, pero mi punto de vista y lo que a mí me conviene es lo correcto.

Se es muy respetuoso con la ley del talión: ojo por ojo, diente por diente. Si los niños obedecen a los padres, los padres harán lo que los niños quieran.

Se oscila entre individualidad y dependencia gregaria.

Se hacen constantes comparaciones y se demanda trato igualitario.

Se teme al adulto punitivo, pero se tiene gran insensibilidad respecto de los otros.

Se atiende a las necesidades propias y a las de los demás como individuos, efectuando tratos imparciales de intercambio concreto.

TAXONOMÍA DE PIAGET. ESTADIO DE COOPERACIÓN: OPERACIONES INTELECTUALES CONCRETAS. APARICIÓN DE LA LÓGICA Y DE LOS SENTIMIENTOS MORALES Y SOCIALES DE COOPERACIÓN (6/7 A 10/11 AÑOS)

El desvalimiento

Los niños de seis años siguen siendo desvalidos, a pesar de que se encuentren en la tercera infancia (todavía en su escalón más bajo).

Conforme son más pequeños necesitan más tiempo real de dedicación, no sólo de calidad, porque sus pequeñas necesidades –que para ellos son grandes–, se presentan a cada momento del día. El drama del muñeco que no quiso comer es para el niño un drama real, y por eso el saber que alguien «está ahí», al otro lado de sus dramas, desdramatiza.

Los miedos

Origen

Los miedos surgen por:

Condicionamiento (brusca irrupción del trueno, del ratón, etcétera).
Imitación (la madre que teme al trueno o al ratón contagia inconscientemente su estado de ánimo al niño).
Inducción («te voy a encerrar a oscuras», «vas a hacerte daño», «va a venir el lobo»).

Tratamiento

Nunca generar miedos o fomentar los existentes.
Nunca coaccionar: «si no vienes, llamo al coco».
Nunca ignorar los miedos del niño.
Nunca obligar a ponerse en contacto directo e inmediato con la situación temida; esto aumenta la ansiedad, sobre todo si se carece de preparación técnica.
Nunca ridiculizar.
Cuando el miedo es leve:

* Recurrir a ejemplos de niños estimados, reales o fantásticos, que no sólo no tienen miedo, sino que hasta se burlan de él: Juan Sinmiedo, el Sastrecillo Valiente, Mowgli.
* Persuadir (lo más cariñosamente que se pueda) con la argumentación racional.

Cuando el miedo es grave:

* Si es necesario, acudir a un terapeuta, pues existen técnicas de disminución progresiva de la tensión emocional hasta la total desaparición del miedo.

Desarrollo afectivo

- Hipersensibilidad, hipersusceptibilidad. Mala tolerancia de la crítica.
- Comportamiento complejo, incluso contradictorio, capaz de una acción y de su contraria, o ni de una ni de otra por exacerbación de la tensión no resuelta.
- Testarudez.
- Intensificación de las necesidades afectivas.
- Fuerte vinculación con la madre, y a la vez necesidad de independencia. Progresiva solicitud de atención del padre.
- Importancia –aunque no perdurable– de los amigos de la familia.
- Turbia, semiviolenta relación con los hermanos.
- Las niñas suelen jugar con las niñas y los niños con los niños.

Desarrollo cognoscitivo-fantasioso

Estamos en la edad del por qué. Para saber cómo piensa espontáneamente el niño, nada mejor que analizar las preguntas que formula, a veces profusamente, casi siempre que habla. Al principio las preguntas son relativas al «dónde» se hallan los objetos deseados, y al nombre: «¿esto qué es?» A partir de los tres años aparecen los «por qué» de finalidad y de causalidad. No sabe definir los conceptos que emplea y se limita a designar los objetos correspondientes o a definir por el uso («es para»), bajo la doble influencia del finalismo y de las dificultad de justificación.

La dificultad para responder a estas preguntas es que muchas de ellas se refieren a fenómenos o acontecimientos que no comportan ningún «por qué». No sabiendo cómo resolver la pregunta, es bueno preguntar a otros niños de la misma edad. El niño afirma constantemente y no demuestra jamás. Esta ausencia de prueba deriva del egocentrismo, es decir, de la indiferenciación entre el punto de vista propio y el de los demás.

En general, la respuesta es de signo «artificialista»: todo en el universo ha sido construido por el hombre y para el hombre, las montañas «crecen» porque se han plantado las piedras después de fabricarlas los adultos. Así pues, las leyes naturales obedecen al adulto y, dado que el niño se identifica con la mentalidad adulta, en última instancia todo obedece al yo infantil, porque éste es el centro de todo. Todo está «hecho para» los hombres y los niños, según un plan establecido y sabio cuyo centro es el ser humano, visto a su vez desde el niño.

No existe azar en la naturaleza, los barcos flotan porque tienen que flotar, los torrentes fluyen por su impulso hacia los lagos, el agua del arroyo es movida por el impulso que toma al chocar contra las piedras.

Este animismo infantil es la tendencia a pensar las cosas como vivas y dotadas de intenciones: las nubes saben que avanzan porque traen la lluvia; la noche es una gran nube negra que cubre el cielo cuando llega la hora de acostarse; la Luna nos sigue durante nuestros paseos y vuelve atrás cuando emprendemos el camino de regreso, incluso nos denuncia si robamos algo; el egocentrismo pueril les impide pensar en lo que haría la Luna en presencia de dos paseantes que avanzaran en sentido contrario uno de otro.

Artificialismo y animismo expresan una confusión o indisociación entre el mundo interior o subjetivo y el universo físico. El niño anima los cuerpos inertes y materializa la vida psíquica. El pensamiento es para él una voz, la voz que está en la boca, o «una vocecilla que está detrás», y esa voz es «viento».

Los sueños son imágenes, en general algo inquietantes, enviadas por las luces nocturnas (la Luna, los faroles) o el aire mismo, y que llenan la habitación. O, más tarde, imágenes procedentes de nosotros mismos, residentes en nuestra cabeza cuando estamos despiertos, y que salen de ella para posarse encima de la cama o en la habitación tan pronto nos dormimos. Cuando uno se ve a sí mismo en sueños se desdobla: uno está en la cama mirando el sueño, pero también «en el sueño», cual doble inmaterial.

El niño vive intensamente dentro de sí. Desde su fantasía, pasa la existencia como en un jardín rodeado de un alto muro, donde se construye su pequeño gran mundo. Sobre esta fantasía infantil se desarrollará después su creatividad social y profesional.

Una enseñanza orientada puramente en sentido intelectual aniquila la fantasía. Es importante educar la imaginación mediante la lectura de fábulas, cuentos, leyendas, vidas ejemplares. El niño se reconoce en el hada buena, en la bruja malvada –deseos destructivos–, en el lobo feroz –temores–, en el sabio –exigencias de su conciencia–, en el animal –según el animal, el reconocimiento es distinto.

Un niño pone orden en el caos separando todas las cosas por parejas de contrarios.

Desarrollo social

Egocentrismo

El yo actúa por movimientos de oposición debido a la necesidad de autoafirmarse como alguien distinto que con frecuencia contradice y desobedece. El yo egocéntrico se considera lo bastante fuerte como para hacerse con el universo.

El yo egocéntrico se manifiesta en el *mi*, instinto propietarista acusado (¡tan poco evolucionado en propietaristas adultos!)

Los niños no saben discutir entre sí y se limitan a confrontar sus afirmaciones contrarias. Cuando tratan de darse explicaciones unos a otros, les cuesta imaginarse en el lugar del que ignora de qué se trata, y hablan como para sí mismos (en esto se parecen a los malos maestros adultos).

Trabajando en una misma habitación o sentados en torno a una misma mesa, cada cual habla para sí aunque creen escucharse y comprenderse recíprocamente, pero ese monólogo colectivo sólo excita mutuamente a la acción, no al intercambio de ideas. Varios emprenden un mismo trabajo, pero ¿ayudan?, ¿colaboran? No: carecen de concentración individual cuando trabajan solos y no cooperan. Se hablan constantemente a sí mismos mediante monólogos que acompañan sus juegos y acciones. Son soliloquios en voz alta que auxilian a la acción inmediata, y que van disminuyendo con el crecimiento. Imposible distinguir entre actividad privada y colaboración: los niños hablan un lenguaje egocéntrico, con discursos espontáneos, pero no escuchan.

Deslumbramiento por lo nuevo

Lo novedoso atrae mucho. Al pequeño le resulta original todo: abrir la puerta, agarrar el teléfono, poner la mesa. Cuando lo ha hecho reiteradamente, decrece su interés e incluso se anula. Para mantenerlo en la acción hay que animarlo, exigirle, reñirle, sonreírle, de acuerdo con su carácter y la circunstancia, hasta lograr el hábito.

Propensión al entusiasmo, a la aventura, al neísmo: ideas nuevas, juegos nuevos, enorme deseo de aprender todo. Audacia, tendencia a la exploración de lo desconocido y de lo novedoso, crece ante las dificultades físicas propiciadas por el reto de lo nuevo.

Pasión por jugar

Edad del juego como expresión natural y de creatividad. El juego conoce su máxima intensidad entre los cuatro y los siete años de edad. La afición por el juego se basa en los siguientes cuatro periodos sensitivos primarios: afán de imitar, ansia de repetir, actividad constante, satisfacción de aprender. Los niños aprenden jugando, pues para ellos todo es un juego. Les entusiasma aprender algo nuevo, les produce alegría saber hacer las cosas, no se cansan de repetirlas.

En estas etapas deben aprender a: utilizar juguetes didácticos, manejar plastilina para modelar objetos, hacer dibujos, pintar, ayudar en los quehaceres de la casa, ordenar su cuarto, vestirse, auxiliar a sus hermanos menores, manejar juguetes constructivos como el mecano.

Hay gusto por los juegos de competición, sobre todo por los violentos, pero también por los juegos de sociedad (cartas, dominó, etcétera). Posibles actitudes ruidosas. Fuerte agresividad física y verbal por querer ganar y mandar siempre, prefiriendo cambiar las reglas de juego si con ello se obtiene la victoria y, a su vez, cambiar las reglas de juego antes que hacer trampa.

Los resultados del aprendizaje se miden en términos de conquista deportiva, más que en términos de adquisición o de aptitud.

Si existen las capacidades para que el niño aprenda, las metas sólo se alcanzan cuando el ambiente es lúdico, divertido, estimulante, competitivo: de lo contrario, el niño preferirá el juego.

Los juegos (de muñecas, de comiditas, etc.) son simbólicos y egocéntricos. El símbolo es un signo individual, elaborado por el individuo sin ayuda de los demás y a menudo sólo por él comprendido, ya que la imagen se refiere a recuerdos y estados vividos, muchas veces íntimos y personales. Su función consiste en satisfacer el yo merced a una transformación de lo real en función de los deseos: quien juega a muñecas rehace su propia vida, la corrige, reaviva todos sus placeres o conflictos, los resuelve, completa y complementa mediante la ficción. El juego simbólico no es un esfuerzo de atenencia a lo real, sino una asimilación deformada de lo real al yo.

En los juegos comunes, cada cual juega el suyo sin ocuparse de las reglas del vecino de su misma edad, sin coordinación alguna. Por eso todos ganan la partida, porque todos se han divertido: se divierten y, por tanto, ganan.

Intentan imitar el ejemplo de los mayores y observan ciertas reglas, pero cada uno sólo conoce de ellas una parte.

Desarrollo moral: la heteronomía

Lo justo se confunde con lo impuesto por la ley, y la ley es totalmente heterónoma e impuesta por el adulto. Un ejemplo.

Pregunta: ¿Los niños tienen el mismo derecho que las personas mayores a que les sirvan en la tienda?

Respuestas:

—Los pequeños no tienen tanta prisa como los mayores.

–Los mayores tienen muchas cosas que hacer y llevan prisa.
–Yo quiero ser mayor para poder mandar.

EXPECTATIVAS AXIOLÓGICAS QUE ABRE ESTA EDAD

- Enseñar equilibrio entre inteligencia verbal e inteligencia práctica mediante la elaboración de trabajos manuales.
- Enseñar la observación para educar a curiosear de manera didáctica. Educar los sentidos mediante el contacto con la naturaleza.
- Enseñar a jugar cooperativamente estimulando la transición del juego al trabajo. El clásico juego de «la comidita» crea la conciencia de que es bueno cuidar la casa y tener la comida preparada.
- Enseñar a autodominarse.
- Enseñar a ser autónomo.
- Virtudes enseñables preferentemente hasta los siete años: justicia, obediencia, sinceridad, orden.

Capítulo 8

El niño
de siete-ocho años

ESTADIO DE COOPERACIÓN NACIENTE

Hacia los siete u ocho años por término medio, y no sin oscilación según la idiosincrasia de cada niño, comienza a aparecer –decimos «comienza»– un estadio de «cooperación» naciente: cada jugador intenta dominar a sus vecinos, y de ahí la preocupación por el control mutuo y la unificación de las reglas de juego, así como también de las conversaciones privadas. Es el momento en que el niño designa con la palabra «ganar» el hecho de vencer a los demás mientras observa reglas de juego comunes. De este modo, el placer específico del juego deja de ser muscular y egocéntrico para convertirse en social.

Pero si los jugadores consiguen entenderse durante una sola y misma partida, sigue reinando una vacilación considerable por lo que respecta a las reglas generales del juego y, cuando se les pregunta por separado, proporcionan informaciones muy diversas y muchas veces totalmente contradictorias sobre las reglas del juego.

DESARROLLO AFECTIVO

El niño busca un ambiente de exigencia y de cariño, de sobriedad y de fortaleza.

Es dócil. En esta etapa no suelen aparecer problemas especialmente difíciles y, por eso, padres y educadores corren el riesgo de bajar la guardia.

Sin embargo, a pesar de sus manifestaciones externas correctas, la conducta puede carecer de fundamentos sólidos, que en los años posteriores se traducirá en conductas deterioradas si abandonamos el cultivo axiológico adecuado en este tiempo. Las etapas fáciles pueden terminar complicándose por falta de atención, como casi todas las cosas de esta vida: cada etapa reproduce (ontogenéticamente) el desarrollo de la totalidad (filogenéticamente).

DESARROLLO SOCIAL: LA ACCIÓN DELIBERADA

Capacidad de concentración individual cuando trabajan solos, y de incipiente colaboración efectiva cuando hay algo común.

Aunque no conozcan de memoria todas las reglas del juego, tienden a fijar las mismas y a mantenerlas por medio del control recíproco. Ahora se gana, es decir, se reconoce el éxito de un jugador sobre los otros en una competición reglamentada.

En lugar de las conductas impulsivas acompañadas de credulidad inmediata y de egocentrismo, el niño comienza a pensar ahora antes de actuar; reflexiona: delibera interiormente consigo mismo, y por eso hace extensiva esa deliberación a los demás, ahora interlocutores, ya sean amigos o adversarios. Todo diálogo o discusión socializada es reflejo de una reflexión exteriorizada, del mismo modo que la reflexión es una conducta social interiorizada.

Los niños se ponen furiosos muchas veces, como los mayores. Para evitar que su comportamiento degenere progresivamente y que la furia y el griterío vayan más lejos en el futuro, los adultos deben tratar de proporcionar pautas alternativas al confícto.

Un ejemplo: Luisita regresa muy enojada del colegio. Cuenta a sus padres que sus compañeros la insultaron. La mamá propone: ¿qué te parece si tratamos de encontrar algo que puedas hacer cuando te insulten: golpear a los compañeros, devolverles los insultos, no hablarles, contarle al profesor?

La mamá y Luisita ensayan las alternativas diseñadas, pero excluyen las violentas. A Luisita tampoco le gusta contar el problema al profesor, porque eso sólo serviría para que los demás niños la insultasen más. Finalmente, elige no hacer caso de los improperios reaccionando con esta frase: «¡no me gusta que digas eso!», y luego alejándose con calma.

Elegido ese procedimiento, se pasa a su práctica. La mamá imita la conducta de los niños y Luisita repite: «¡no me gusta que digas eso!»; luego se aleja con calma.

La mamá exclama: «¡estupendo! Ahora, volvamos a ensayar».

Al final se produce el autocontrol y el autodominio con dignidad.

Gracias a la nueva habilidad lograda, la niña también adquiere más coraje para enfrentar los improperios en el futuro.

DESARROLLO ÉTICO: LA JUSTICIA

El niño afirma todavía prevalentemente que es justo aquello que sus papás dicen que lo es.

A partir de ahora descubrirá poco a poco la necesidad de que todos sean tratados igual y sólo a partir de los once (aproximadamente) comprenderá la equidad, atendiendo a las circunstancias personales.

Trata de igual manera a todos, sin reconocer todavía que cada uno debe ser tratado de acuerdo con su situación especial, pues una cosa es el igualitarismo y otra la justicia.

Piensa aún que la justicia es inmanente al acto: cada acto injusto trae consigo automáticamente su propio castigo. Un niño roba una manzana y al volver a casa sufre un accidente como consecuencia directa del robo.

El niño reconoce orden y justicia naturales. La motivación mejor que podemos ofrecerle para potenciar su sentido de justicia es el «derecho natural»: lo que es el orden en cada momento y por qué debe existir. Pero tampoco ahora basta con la explicación, hace falta la implicación afectiva de los mayores, el ejemplo, el apoyo, el cariño.

EXPECTATIVAS AXIOLÓGICAS QUE ABRE ESTA EDAD

- Aprovechar la memoria (se acrecienta a partir de los nueve años), que es –por decirlo metafóricamente– como un músculo: si no se usa pierde capacidad, flexibilidad y fuerza.
- Potenciar el desarrollo de algunas aptitudes: musicales, mecánicas, etcétera.
- Enriquecer su sensibilidad emergente con visitas a centros culturales, museos, conciertos de música clásica.
- Desarrollar una actitud de trabajo que va más allá del juego, pues implica el deber de concluir las tareas y de buscar resultados.
- Adaptarse más al entorno, sin perder el gusto por la aventura.
- Comenzar la transición hacia el estadio siguiente.

Capítulo 9

El niño
de ocho-nueve años

TAXONOMÍA DE KOHLBERG. ESTADIO TRES: RELACIONES Y CONFORMIDADES INTERPERSONALES. LEALTAD,«BUEN(A) NIÑO(A)» (8/9 A 15 AÑOS, CON GRADOS)

Lo correcto: satisfacer las expectativas de quienes me rodean.

Motivo para ser bueno: aprobación grupal y social por un lado, autoestima por el otro.

Comienzo de una imagen internalizada de lo bueno, que se acepta como la correcta.

Debo ser bueno para que los otros piensen bien de mí (aprobación social), y a la vez para que yo piense bien de mí mismo (autoestima).

Yo debería tratar al otro como me gustaría que él me tratara a mí.

Comienzo de actitudes empáticas: puedo ponerme en los zapatos del otro para entenderlo desde allí, y actuar correctamente.

Mayor capacidad para perdonar y para encontrar circunstancias atenuantes.

Creciente interés por los demás, manteniendo la lealtad y respetando reglas y expectativas ajenas.

DE LA AUTORIDAD A LA IGUALDAD

Hay una disminución gradual de las preocupaciones por la autoridad y un aumento correlativo de la necesidad de igualdad.

Recordemos que a los seis o siete años se tenía la siguiente actitud heterónoma:

–¿Los niños tienen el mismo derecho que las personas mayores a que les sirvan en la tienda?

–Los pequeños no tienen tanta prisa como los mayores, los mayores tienen muchas cosas que hacer y llevan prisa, yo quiero ser mayor para poder mandar.

Si ahora formulamos la misma pregunta a los niños de ocho o nueve años, las respuestas son:

–Los vendedores no deben hacer esperar a los niños, porque no es justo hacerlos esperar; hay que despachar a los mayores cuando sea su turno.
–A veces los pequeños también tienen prisa y no es justo hacerlos esperar.
–Hay que servirles cuando les toque el turno.
–No es justo servir a los que han llegado después.
–Aunque fuera pequeño, no tendría por qué esperar, pues está haciendo las compras igual que los mayores.

DESDE LA SANCIÓN HASTA LA IGUALDAD. CUATRO PROBLEMAS ÉTICOS

Primer problema ético: el niño que dejó caer su panecillo al agua

Pero, a su vez, la igualdad puede ser indistinta o equitativa. El *igualitarismo indistinto* no es capaz de adecuar la situación general a las particulares, mientras que sí lo es el *igualitarismo equitativo* o *igualitarismo de equidad.*

Como puede verse en el ejemplo siguiente de Jean Piaget, el niño del presente estadio se decanta claramente hacia la igualdad a partir de la equidad, la cual será ya definitiva en el estadio siguiente.

Había una vez una mamá que se paseaba con sus hijos por la orilla del río una tarde de fiesta. La mamá dio un panecillo a cada niño. Todos se pusieron a comer, excepto el más pequeño, que era muy despistado y dejó caer su panecillo al agua.

Pregunta: ¿qué debió hacer entonces la mamá?

Las respuestas pueden ser de tres tipos:

• No darle otro pan: sanción.
• Darle otro para que todos tengan lo mismo: igualdad.
• Darle otro porque el chico es pequeño: equidad, teniendo en cuenta las circunstancias de cada uno.

Según Piaget, éstos fueron los resultados:

	Sanción	Igualdad	Equidad
6-9 años	48 %	35%	17%
10-12 años	3 %	35%	42%

13-14 años	0 %	5%	95%

De todos modos, a pesar del progreso axiológico de esta edad, no podemos olvidar que, según la mayoría de tratadistas de psicología evolutiva, de los siete a los 10 años la igualdad se abre paso lentamente sobre la sanción, pero sin lograr pasar aún a la equidad.

El valor de un castigo no se mide por su severidad. Lo esencial no es hacer al culpable algo parecido a lo que él ha hecho, sino que por reciprocidad comprenda el alcance de sus actos; o también castigarlo con la reparación como consecuencia directa de su falta o delito.

En el terreno de la justicia retributiva sólo se consideran legítimas las sanciones que se desprenden de la reciprocidad. En el de la justicia distributiva entre niños, el igualitarismo se impone. La reciprocidad goza de tanto prestigio a los ojos del pequeño, que la aplica incluso cuando se acerca a la simple venganza.

En el juego, el tramposo –precisamente por ser tramposo, es decir, desequilibrador de la igualdad de las normas comunes– es excluido de la partida, y su exclusión durará más o menos tiempo según la gravedad de la trampa.

Las canicas ganadas indebidamente son restituidas al propietario o repartidas entre los jugadores honrados.

Asimismo, los intercambios están regulados. El fuerte que abusa del débil es reintegrado al orden por otros más fuertes que él.

En todo esto no hay nada de propiamente expiatorio: se trata de sanciones restitutivas, de exclusiones que marcan la ruptura del lazo de solidaridad. En los casos raros de sanciones entre niños que son realmente expiatorias, interviene un factor de autoridad, de respeto unilateral y de presión de unas generaciones sobre otras. Cuando no interviene este factor, insistamos, las sanciones entre niños son simples sanciones por reciprocidad. Lo que es justo es la reciprocidad, y no la venganza bruta: hay que devolver exactamente lo que se ha recibido, pero no inventar una especie de sanción arbitraria sin relación con el contenido del acto sancionado.

Segundo problema ético: el niño bueno que debía informar a su padre respecto del hermano malo

Había una vez, muy lejos de aquí y hace mucho tiempo, un papá que tenía dos hijos. Uno era dócil y obediente. El otro era bueno, pero algunas veces hacía tonterías. Un día el papá se fue de viaje y dijo al primero: «observa bien lo que haga tu hermano, y cuando yo llegue me lo explicarás». El papá se fue y el segundo hermano hizo alguna tontería. Cuando el papá volvió, pidió al otro que se lo explicara todo.

Pregunta: ¿qué debía hacer el dócil y obediente?

El desprecio de todos los escolares y los calificativos espontáneos que surgen respecto a los «soplones» (el lenguaje del niño es por sí mismo significativo) demuestran que tocamos un punto esencial de la moral infantil. Así las cosas, ¿es correcto romper la solidaridad entre niños en provecho de la autoridad adulta? Ciertos maestros o ciertos padres empujan al niño a ello. Así pues, ¿habrá que obedecer al adulto o respetar la ley de solidaridad?

Los resultados estadísticos según Piaget son los siguientes:

- Casi 90 % entre los seis-siete años, consideran que hay que explicárselo todo al padre.
- Poco a poco, a partir de los ocho años, aumenta el número de niños que creen que no hay que decirle nada, e incluso algunos llegan a preferir la mentira a «traicionar» a un hermano.
- Los mayores, distinguen entre situaciones: el abanico se abre; no falta quienes prefieren recriminar al hermano sin decirle nada al padre, o hablar con ambos pero de distinto modo, de suerte que el padre quede enterado y pueda castigar al infractor lo menos posible, pero de forma también que el infractor sea advertido seriamente por el hermano para que no reincida.

Tercer problema ético: dos amigas ante un robo cometido por una de ellas

Laura y Esther tienen 16 años y entran en un negocio de ropa. Laura sale del probador con la camisa robada bajo su ropa, sin que Esther tenga tiempo de reaccionar. El vendedor se acerca a Esther y le pregunta por Laura y su camisa, insistiendo en que, si no le dice el nombre y el teléfono, ella misma se meterá en un problema serio.

Pregunta: ¿debió dar Esther los datos de Laura al vendedor? ¿Por qué o por qué no?

Respuesta (5 a 6 años):

Esther debe delatar a Laura para evitar meterse en problemas.

Esther no debe delatar a Laura, pues eso arruinaría la amistad entre ambas y además podrían reprochárselo los amigos.

Respuesta (6 a 9 años):

Si Laura no se preocupó por las consecuencias que su acción tendría para Esther, ésta debe hacer lo mismo con Laura; debe delatarla.

Si Esther le debe algún favor a Laura, ahora debe pagárselo; también debe callarlo si espera que Laura le pague algún día el favor recibido.

Respuesta (9 a 15 años):

Esther debe dar la información; de lo contrario se haría cómplice de un robo y afectará a su propia conciencia.

Esther debe guardar silencio, porque los amigos lo son también para los momentos difíciles y, si ahora falla, todos pensarán que es una mala amiga.

Cuarto problema ético: ¿castigar a todos o a ninguno?

En el patio de una escuela el maestro ha dado permiso a los niños de una clase para que jueguen en el granero, con la condición de que vuelvan a dejar todo en orden antes de marcharse. Uno toma un rastrillo, el otro una pala y cada cual se va por su lado. Un chico toma una carretilla y se va a jugar solo en un camino, pero rompe la carretilla. Entonces vuelve sin que lo vean y esconde la carretilla en el granero. Por la noche, cuando el maestro va a ver si todo está en orden, encuentra la carretilla y pregunta quién la rompió. Pero quien lo hizo dice que no ha sido él y los otros no saben quién ha sido.

Pregunta: ¿qué se debe hacer: castigar a toda la clase o no castigar a nadie?

Respuesta:

- Para los niños más pequeños creen que hay que castigar a todos, no porque la solidaridad del grupo convierta en colectiva la responsabilidad, sino porque cada cual es culpable individualmente dado que nadie puede denunciar al autor del delito, y sería deber hacerlo. Hay que castigar a todo el mundo porque es necesario que un delito comporte una sanción: al castigar a todos se respeta la justicia. Es el predominio del «realismo moral» y de la fidelidad a la autoridad adulta.
- Los niños de edad intermedia piensan que no hay que castigar a nadie, y ello por dos motivos: por una parte, porque está bien no acusar y, por otra, porque no se conoce al culpable. Es

el predominio de la justicia igualitaria y del compañerismo.
- Los niños mayores opinan qque hay que castigar a todos, no porque esté mal acusar, sino porque si la clase ha decidido no denunciar al culpable se considera solidaria.

Predominio de la equidad: los niños del último grupo consideran la sanción ejercida contra los inocentes más injusta que la impunidad del culpable.

Capítulo 10

El niño
de nueve-10 años

DOCILIDAD

En esta etapa no suelen aparecer problemas especialmente difíciles, y por eso padres y educadores corren el riesgo de bajar la guardia. Sin embargo, a pesar de sus manifestaciones eternas correctas, la conducta puede carecer de fundamentos sólidos, que en los años posteriores se traducirían en ese caso en conductas deterioradas.

DESARROLLO CORPORAL

Se trata de una edad tranquila y feliz, debido a la estabilidad emocional y sexual, dado el escaso interés hacia el otro sexo en líneas generales, a pesar de que no falten niños precoces. En las niñas, como es sabido, su desarrollo corporal comienza antes.

En este contexto, si tenemos en cuenta que al final de esta etapa los niños pasan por los cambios biológicos de la pubertad, parece necesario desarrollar la voluntad de forma especial para fortalecer su carácter, siempre en un ambiente de exigencia y de cariño, de sobriedad y de fortaleza.

NADA ES DEMASIADO: EJERCITACIÓN DE LA VOLUNTAD

Sin ningún rigorismo espartano, que podría resultar excesivo para el niño, y considerando su edad, hay que pasar al cultivo de virtudes básicas. Sin duda alguna la fortaleza de la voluntad es una virtud básica y asequible a esta edad, pues no todas lo son: la paciencia, por ejemplo, no puede cultivarla adecuadamente un niño en este estadio evolutivo.

La fortaleza puede venir ahora por la vía del autocontrol y de la moderación. Moderación sobre todo en los ámbitos en que el niño se mueve:

- En la comida, sin gula.
- En el juego.
- En la sobriedad, sin despilfarro, sin caprichos.
- En la sencillez, sin ostentación.
- En el control de sí mismo.

En nuestra sociedad mucha gente sufre por aparentar lo que no es, viviendo por encima de sus posibilidades. Frente a la cultura de la ostentación, el niño aprenderá a vivir con sobriedad y con la alegría de autodominarse, a fin de estar en condiciones de dedicarse a bienes más altos y a compartir. Los padres y los maestros deberemos cuidar de no dar mal ejemplo:

- Respecto al vestir: no manifestarse más rico, más pobre, más joven, más viejo o, simplemente, diferente.
- Respecto al hablar: no tratar de parecer más inteligente sólo por el uso del vocabulario complicado; simular que no se poseen unas cualidades que son evidentes; citar muchos autores que no se han leído para parecer más erudito; parecer más rico o culto con el tono de voz y las «experiencias» que se cuentan.
- Respecto al actuar: intentar pasar por lo que uno no es; simular que uno tiene mucho trabajo cuando no es así; organizar la vida de la forma más compleja posible a fin de no tener tiempo para lo esencial, etcétera.
- Respecto al consumir: adquirir bienes para quedar mejor que los vecinos, para estar de moda, para cambiar, para intentar compensar una insatisfacción interior, un vacío en la propia vida, etcétera.

AUTODOMINIO Y SOLIDARIDAD

Se enseñará al niño a autodominarse para que esa virtud repercuta en los demás de forma altruista, solidaria, amorosa. Éstos son algunos ejemplos de este tipo de enseñanza:

- Compartir con alegría un plato escaso.
- Reconocer la situación económica de la familia (de acuerdo con la edad y la madurez de los hijos, para no angustiarlos) a fin de que actúen sin egoísmo. Llevar a los hijos de compras para que vean cuánto cuesta comer.
- Valorar lo que poseen y lo que pueden poseer.
- Reflexionar cuánto se invierte en sus gastos.

- Enseñarles por qué no es bueno estar atados al placer.
- Enseñar cuáles de sus tendencias deberían controlar.
- Vivir unos ideales elevados capaces de satisfacer en profundidad.

SOCIALIDAD COMPLICADA

Adquiere gran importancia la escuela como ayuda para confrontarse con los valores del compañerismo, el trabajo en equipo, la capacidad de perdón, etcétera.

Asimismo, el grupo de «compañeros» es el cauce de seguridad y autoafirmación.

A la vez, hay inestabilidad en el grupo, pues cada niño es impulsado por intereses particulares y personales.

Inicia el liderazgo del grupo por parte del compañero que reúne ciertas condiciones: independencia, decisión, inteligencia práctica...

Hay aceptación incondicional de normas y reglas en los juegos.

Existe escaso sentido de la amistad, a pesar de la facilidad con que se prodiga el nombre de «amigo».

DESARROLLO ÉTICO: LA JUSTICIA

Se agudiza la transición hacia la equidad desde la igualdad y hacia la autonomía desde la heteronomía.

A los nueve-10 años, los niños consideran justo a quien:

- Respeta las reglas de juego impuestas por el profesor o por el grupo.
- Entiende que la justicia pide reparar el daño físico o moral cometido.

Capítulo 11

El niño
de 10-11 años

EN LOS UMBRALES DEL PENSAMIENTO COMPLEJO Y GLOBALIZADOR

Aunque todavía no estemos en ese estadio, nos acercamos a los umbrales de la codificación de reglas, ese estadio en que el pensamiento se vuelve matemáticamente adulto, en el que podemos pasar de las operaciones concretas a las operaciones abstractas (sin apelación o recurso a los sentidos), los elementos se engloban y comprenden unitariamente, las perspectivas se ensanchan y los individuos se encuadran en sus colectivos correspondientes.

En el ámbito axiológico, nos acercamos también al estadio en que los valores se contemplan en toda su perspectiva, globalidad y altura. Ya estaremos muy cerca si en los estadios anteriores de desarrollo evolutivo hemos experimentado una evolución adecuada, la que corresponde a cada uno de ellos.

De ahora en adelante los procedimientos quedan regulados minuciosamente, pues es por todos conocido el código de las reglas a seguir y de sus variaciones posibles. Aquí la cooperación es entendida como intercambio entre individuos iguales, lo único capaz de socializar.

GLOBALIZACIÓN DE LA CONDUCTA MORAL

Por término medio, a partir de los 10 años la conciencia de la regla se transforma completamente. A la heteronomía sucede la autonomía: la regla del juego se presenta al niño ya no como una ley exterior, sagrada en tanto que impuesta por los adultos, sino como el resultado de una libre decisión y como digna de respeto en la medida en que hay un consentimiento mutuo.

Este cambio se observa por dos síntomas concordantes:

- El niño acepta la modificación de las reglas si es con la aprobación de todos, es decir, si todos se comprometen a respetar las nuevas decisiones: no hay delitos de opinión, no hay más que

155

delitos de procedimiento, aunque sí opiniones más o menos razonables, propuestas de innovaciones mejores o peores.

- Ya no se cree que todo fue mejor en el pasado, ni que el único medio de evitar los abusos es respetar piadosamente las costumbres establecidas; se cree en el valor de la experiencia en la medida en que este valor está sancionado por la opinión colectiva. Las reglas no son eternas y trasmitidas de manera idéntica a las generaciones.

Hacia los 10 o 12 años se ha superado la idea de que la mentira es algo malo por ser objeto de sanción y de que, si se suprimieran las sanciones, estaría permitida. Ahora la mentira aparece como una falta en sí misma, aunque no sea castigada. Desde luego, entre los motivos alegados por los niños encontramos toda una fraseología inspirada seguramente en las palabras adultas: «no se debe mentir, porque no sirve para nada»; «hay que decir la verdad según la propia conciencia», pero junto a estas fórmulas se tiene la experiencia de que la veracidad es necesaria, porque engañar a los demás suprime la confianza mutua. La veracidad resulta necesaria para la reciprocidad y el acuerdo mutuo.

EDUCAR EL CORAZÓN

Se trata de educar el corazón, de enseñar a leer la realidad en clave de amor en una sociedad donde sobra la dureza, la agresividad, la pasividad, la apatía, la indiferencia y el final enclaustramiento en el propio egoísmo. Se trata de aprender a mirar más lejos y con más finura, de fomentar la actitud de comprensión cariñosa hacia los débiles, los pobres y los enfermos. Fomentar la capacidad de servicio al proporcionar al pequeño oportunidades de hacer favores a los demás.

La organización de los valores morales es comparable con la organización lógica: honradez, sentido de la justicia, reciprocidad, etc., constituyen una escala o un sistema relacional de valores personales comparable a los agrupamientos de relaciones. Como ya se ha dicho, a esta edad la escala ya se basa en relaciones objetivas.

Educa en la justicia y en la participación en el bien común quien:

- Enseña al niño a afrontar positivamente las contrariedades de la existencia.
- Cultiva la sensibilidad infantil ante la grandeza, la belleza, lo sublime.

Conmueve al niño ante el dolor ajeno y moviliza sus energías en ayuda de los necesitados y de quienes sufren. Esto último, a su vez, logra despertar un sentimiento más racionalizado de justicia.

EDUCAR LA VERACIDAD

La mentira se interiorizará bajo la influencia de la cooperación. Es malo engañar a los adultos, pero no está permitido, e incluso es grave, engañar a los compañeros. Se puede bromear, pero la mentira seria entre niños es tan reprensible como cuando se miente a los adultos. Al respecto las respuestas de esta edad suelen ser:

–Es peor engañar a un niño porque el niño es más pequeño.
–Es peor mentir a un niño, porque éste lo creerá.
–Si engañas a una persona mayor te castigan más, pero es igual de malo.
–Si engañas a una persona mayor es porque a veces te ves forzado, pero a un compañero no está bien.

ÉTICA DE LA EQUIDAD

Hasta los siete u ocho años la justicia se subordina a la autoridad; entre los ocho y los 11 años se da un igualitarismo progresivo; un periodo que se inicia alrededor de los 11-12 años, durante el cual la justicia puramente igualitaria se ve moderada por preocupaciones de equidad.

En lugar de buscar la igualdad en la identidad, el niño sólo concibe los derechos iguales de los individuos relativamente a la situación particular de cada cual. En el terreno de la justicia retributiva esto lleva a aplicar sanciones considerando las circunstancias personales (favorecer a los pequeños, etc.), sin caer en el particularismo de los privilegios; al contrario, la igualdad es más efectiva que antes.

PROCEDIMIENTOS AXIOLÓGICAMENTE FORMATIVOS

• Lectura comprensiva de noticias sencillas.
• Enumeración y clasificación de necesidades y problemas a partir de la investigación del entorno cercano, a través de un proceso de datos: lectura de material gráfico (planos, mapas, documentos, etc.), observación guiada, encuestas-diálogo con personas significativas.

- Realización de debates.
- Diseño de soluciones creativas para los problemas y las necesidades detectados.
- Elaboración de un plan de trabajo.
- Elaboración de decálogos.
- Admiración por la perfección de la creación, y compromiso con su conservación.

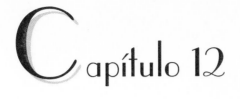

Capítulo 12

El niño de 11-12 años

DESARROLLO AFECTIVO

En este estadio se descubre la aventura de caminar y de dar profundidad al sentido de la vida. Hay gran necesidad de actividad y de movimiento, e interés por lo lúdico y festivo. Además ansia de aventuras e imperiosa necesidad de afirmar la propia personalidad.

El niño se formula preguntas sobre sí mismo, los acontecimientos sociales, la naturaleza y el mundo; todos esos cuestionamientos están encaminados a dar con el significado de lo que nos rodea.

Tiene capacidad de admirar e idealizar a los adultos significativos (padres, profesores, animadores).

Comienza un distanciamiento de los padres, el cual favorece el descubrimiento de otros adultos significativos (profesores, animadores, modelos).

Puede haber frialdad afectiva y resistencia a las manifestaciones externas de cariño.

Existe sinceridad, naturalidad, espontaneidad. Hay una codificación formal de reglas (globalidad a la que se aludía en el estadio anterior, ahora lograda por fin).

EL INICIO DE LA DEPENDENCIA GRUPAL, Y SU EDUCACIÓN

Los niños siempre necesitan pertenecer a un grupo de iguales; una de las razones de ese fuerte apego gregario es que piensan que si son distintos a los demás no serán aceptados por los amigos, pues les parece que ser diferente es ser deficiente.

De ahí la importancia de continuar en la grupalidad, pero a la vez de comenzar a desarrollar la pertenencia al yo, la individualidad, la diferencia, el ser «uno mismo» oponiendo resistencia a la presión negativa de sus compañeros, que es una de las fuerzas más poderosas en la vida de los niños.

Es importante enseñar al niño a evaluar lo que quieren de él sus compañeros, para que tome decisiones personales sin presiones exteriores, pues sin el apoyo de adultos formadores (padres o maestros), esa toma de decisión libre resulta muy difícil para quien no dispone de argumentos sólidos y diferentes a los esgrimidos por los demás niños de su misma edad. Para que el niño aprenda a tomar decisiones personales, le presentaremos diariamente muchas opciones.

No se trata de renunciar a decirle directamente qué tiene que hacer, sino de sustituir progresivamente esos argumentos autoritarios por otros donde la propia voz de la conciencia del niño emerja y funcione de forma más autónoma, pues cuando uno está convencido resiste mejor las presiones externas. Veamos un ejemplo:

Julito: Pablo me ha dicho que faltemos mañana a clase y nos vayamos a jugar.
Adulto: No puedes hacerlo; está mal.
Julito: Pero si no lo hago, él no querrá ser mi amigo.
Adulto: ¿Para qué quieres amigos malos?
Julito: ¿Pero cómo puedo estar sin amigos?
Adulto: ¿Qué tal si le dices a Pablo que a ti te gusta jugar con él, pero que lo que te propone los meterá a ambos en líos, y luego sugieres hacer otra cosa que esté bien? Tal vez debamos practicarlo un par de veces para que te sientas cómodo cuando le contestes a tu amigo Pablo.

A la vuelta de unos días, Julito volvió diciendo:

–Pablo me pidió que faltásemos otra vez a clase. Yo le dije que no, que mejor vayamos el domingo al parque de diversiones. Así lo haremos y será divertido.

Ahora Julito sabe cómo manejar ese problema, cómo resistir presión ajena. Ahora debemos potenciar su coraje para que continúe así.

DESARROLLO CORPORAL. LA PUBERTAD
O PREADOLESCENCIA

Con la pubertad se inicia el tránsito de la fisiología infantil hacia la adolescencia; en esta etapa hay cambios profundos en la personalidad.

El desarrollo individual varía en este estadio más que en otros, según el sexo y las condiciones del ambiente. Esto suele dar lugar a comparaciones y también a veces a ciertos acomplejamientos de quienes se consideran inferiores.

Es la época del «estirón». En los varones puede darse desde los 10 años y medio o retrasarse hasta los 16. Sin embargo, en la mayoría de los muchachos la rápida aceleración del crecimiento comienza a los 13 años y tiene su apogeo a los 14. Disminuye hacia los 15 años y medio, y continúan creciendo lentamente durante los años siguientes.

En las muchachas el estirón puede comenzar desde los ocho o retardarse hasta los 11 o 12 años. Por lo general, la aceleración del crecimiento femenino se aprecia hacia los 11 años, llega a su máximo a los 12, y luego baja rápidamente al mismo ritmo que tenía antes del estirón, el cual continúa durante varios años más.

DESARROLLO ÉTICO: LA EQUIDAD

Hay mayor capacidad para dañar intencionalmente y para perdonar con profundidad. Descubrimiento de la intencionalidad ética. Las cosas no son moralmente buenas o malas sólo por la magnitud del desastre (ética del resultado), sino también por la intención.

Existe una incipiente personalización del sentido de culpa (pecado) como ofensa a otros y como ruptura de un orden moral relacionado con Dios.

Se distingue entre lo hecho y la voluntad de agente, sin por eso juzgarlo. Una cosa es juzgar al agente, y otra el acto: odia el delito, compadece al delincuente.

Pueden ofrecer resarcimiento del daño causado, aunque no sea intencionalmente. Rectifican y reparan el daño.

Inicio de cierta autonomía moral: el criterio moral viene de la bondad o maldad de las cosas y los actos (el deber), no de la ley o la prohibición de los padres o los adultos (los deberes).

Tienen capacidad para definir qué es el bien, por qué hay que hacer el bien y evitar el mal (razonamiento moral).

Poseen aptitud para distinguir entre razón ética y otras razones (*Razón ética*: «realmente estaba preocupado por su amigo»; *otra razón*: «él pensó que su amigo podría pagarle el favor cuando lo necesitara»; *razón ética*: «él no quería ayudarlo porque pensaba que podría ofenderse»; *otra razón*: «él no quería ayudarlo porque no tenía tiempo») sin disociar ambas razones hasta el extremo kantiano.

Comienza una incipiente valoración de la voluntad en el sentido kantiano: descubrimiento del deber por el deber, del mundo de los valores; merece la pena ser honrado, aunque nadie lo fuera en el entorno; merece la pena vivir con dignidad, etcétera.

Hay honradez entre jugadores, que excluye las trampas no sólo porque estén prohibidas, sino porque violan el acuerdo entre individuos que se estiman: la camaradería, el juego limpio. El engaño entre amigos es más grave que la mentira a los mayores.

Tienen el deseo de ser útiles a los demás y de ser reconocidos por ello, así como de ayudar a necesidades concretas (solidaridad y colaboración activa ante necesidades concretas: Domund, Campaña contra el Hambre, etcétera).

Muestran sensibilidad hacia los valores que inciden en su relación con los otros (responsabilidad, lealtad, veracidad, etcétera).

Poseen sentido estricto de la justicia y de la injusticia en las actuaciones de los demás hacia su persona. Hay valores de colaboración y servicio, aparición de sentimientos de rivalidad y competitividad.

Distinguen entre trato igualitario (dar lo mismo a todos y cada uno), y trato equitativo o proporcional (lo que le corresponde). Por tanto, sería justo que unos padres dediquen más tiempo al hijo más necesitado, sin por eso negar que todos son iguales; sería justo que un maestro se enfoque en el más torpe, pero no dar las mismas calificaciones a todos los alumnos

Hay capacidad para entender la relación entre el bien particular y el bien común, y entre el desastre común y el deterioro particular.

Tienen sensibilidad para los pactos. Si se ha pedido prestado un libro o un juguete, debe devolverse en las mismas condiciones y en los plazos debidos. Es conveniente enseñar a cumplir los acuerdos individuales y grupales.

Poseen sentido de la responsabilidad. Las palabras generan responsabilidades; por tanto, es mejor callar que hablar cuando no se puede hablar bien. Igualmente, las calumnias deterioran y ofenden, no son meras afirmaciones. Es recomendable enseñar a hablar de los demás con respeto, buscando lo positivo. Oponerse y criticar por principio, o censurar y ridiculizar, constituyen un acto de injusticia.

CRITERIOS BÁSICOS DE DISCERNIMIENTO AXIOLÓGICO

- *Argumento de la ley natural*: haz el bien y evita el mal.
- *Argumento de la integralidad*: el fin no justifica los medios, es decir, no está permitido hacer el mal para obtener el bien.
- *Argumento de la reciprocidad de la regla de oro*: haz a los demás sólo lo que quieras para ti; o en forma negativa: no hagas lo que no te gustaría que te hicieran a ti.
- *Argumento de la universalidad*: ¿qué pasaría si todo el mundo hiciera lo mismo; sería un mundo mejor o peor?
- *Argumento del respeto*: hay que respetar la conciencia del prójimo. Ahora bien, puede ocurrir que la conciencia de una persona haya quedado casi ciega. En este caso, respetaremos su conciencia, pero nuestro deber será tratar de educarla para que llegue a superarse.

TRASCENDENCIA (EN EL CASO DE LOS NIÑOS CREYENTES)

Dios es puesto (erróneamente) al servicio del egocentrismo de esta edad, con caracteres aún antropomórficos y mágicos. Esta visión posibilita las primeras experiencias prerreligiosas, por eso hay que aceptarla para rectificarla y reorientarla. La descripción de los atributos divinos ayudará a superar la visión egocéntrica.

Hay frialdad afectiva o sentimental respecto a este tema, así como falta de lenguaje para expresar sus sentimientos y valoraciones religiosas.

Tienen conciencia de comunicarse con Dios en la oración, motivada por la solución de sus problemas, pero también lo hacen de manera altruista, aunque siempre buscando la eficacia.

Descubren que sacerdotes y religiosas pueden tener defectos, lo cual constituye una fuente de crisis en su religiosidad. Importancia de la religión sacerdote o religioso-padre y religiosa-madre, vivida en el inconsciente. Si el padre y la madre no son creyentes, la figura del sacerdote o religioso queda rebajada (la relación puede ser inversa).

Hay influencia de la visión todavía mágica y animista de la realidad en la celebración de los sacramentos, así como influencia positiva o negativa de la sensibilidad y participación de los padres en la liturgia.

Influye el ambiente religioso de la familia, ya sea positivo (testimonio de personas cercanas a su vida: profesores, padres, sacerdotes, etc.) o negativo: ciertas formas de increencia (superficialidad, materialismo, hedonismo) eclipsan su disponibilidad posterior a la fe.

EXPECTATIVAS AXIOLÓGICAS QUE ABRE ESTA EDAD

- El equilibrio natural: la creación.
- Manos a la obra: cooperación en la difusión de hábitos de cuidado del entorno.
- Aprecio del crecimiento físico; aprecio y cuidado del propio cuerpo: responsabilidad consigo mismo (salud, evitar los hábitos nocivos, buen uso del tiempo libre, desarrollo de cualidades, aficiones, limitaciones, autoestima y respeto).
- Considerar a la propia familia como miniuniverso. Responsabilidad en la familia: deberes y derechos familiares con los padres y hermanos, colaboración en tareas, la casa como hogar.
- Responsabilidad en la escuela: estudio, convivencia y respeto, participación e iniciativa.

- Reflexión acerca de su entorno y el de su grupo: escuela, barrio, ciudad, naturaleza.
- Pensar en la amistad: apoyo mutuo, respeto, tolerancia: diferencias individuales, dificultades de relación.
- Reconocimiento de los logros obtenidos por las personas.
- Valoración de la entrega desinteresada, del compromiso solidario.
- Admiración por el trabajo ajeno y el propio.
- Visión crítica de los problemas del mundo: problemas ambientales, raciales, marginación, guerra, hambre.
- Respeto a los derechos del niño.
- Reconocimiento del egoísmo humano: desequilibrio que engendra muerte.
- Virtudes enseñables: amor, generosidad, responsabilidad, justicia, fortaleza, perseverancia, laboriosidad, paciencia.

Es necesario enseñar a moralizar de manera personalizada, sin perder de vista lo común: que lo particular se vea en relación con lo general y viceversa, manteniendo la tensión. Se trata de ayudar a distinguir entre personas de distintas edades (derechos y deberes), hermanos con distintas necesidades, personas con distinto estado de ánimo, momento oportuno o inoportuno, etcétera: educación en la prudencia, es decir, en la diferencia. Se procurará orientar y exigir la conducta de cada alumno e hijo con flexibilidad, aunque sin relativismo.

Pero ahí se ve al buen pedagogo, al que ayuda a subir peldaño a peldaño según las fuerzas de cada niño, sin tratar a todos por igual, pues esto último desanima y lleva a la defección, es contraproducente.

Recuerde siempre que es indispensable superar cualquier forma de antipatía o simpatía que podamos tener por algún hijo o alumno. Cada uno es diferente y necesita un trato diferente, lo cual debe ser armonizado con normas generales de comportamiento en la escuela y en el aula.

Estas normas comunes tendrán que subrayar dos criterios: el derecho a convivir con orden y el derecho al apoyo mutuo en favor del bien común. Un lema para reflexionar: «de cada cual según sus capacidades, a cada cual según sus necesidades», o este otro: «todos para uno, uno para todos».

La publicación de esta obra la realizó
Editorial Trillas, S. A. de C. V.

División Administrativa, Av. Río Churubusco 385,
Col. Pedro María Anaya, C. P. 03340, México, D. F.
Tel. 56884233, FAX 56041364

División Comercial, Calz. de la Viga 1132, C. P. 09439
México, D. F. Tel. 56330995, FAX 56330870

Esta obra se terminó de imprimir
el 31 de agosto del 2001,
en los talleres de Impresora Publimex, S. A.
Se encuadernó en Rotodiseño y Color, S. A. de C. V.
BM2 100 TASS